知的生きかた文庫

心がスーッと晴れる一日禅語

境野勝悟

三笠書房

はじめに

「禅語」は、安らかで明るい心をつくる「人生の特効薬」！

「禅語は、むずかしい」

久しく、自分は、そう思っていた。

「禅語は、わからない」

若い頃、そう思っていたのは、まったくの間違いだった。

禅語は、むずかしいものでも、わからないものでも、なかった。

が、あの頃、「無心に生きよ」といわれても、「無心」ということが、わからなかった。「心を無くして生きろ」ということは、いったいどういうことなのか。それが、つかめなかった。

ずいぶん前の話になる。自分が、生まれてはじめて、痛い足を折り込んで坐禅を組んだのは、三島にある龍沢寺《りゅうたく》、山本玄峰《げんぽう》老師の坐下であった。

そのとき、おそるおそる、わたしは、玄峰老師に、こう尋ねた。

「『無心に生きろ』といわれても、〝無心〟ということが、まるでわかりません」

すると老師は、こわい顔をなさるどころか、ニコッと笑われて、

「ああ、そうか。『無心に生きろ』とは、あまり理屈をこねないで、ごく普通に生きることだよ」……と。


その頃、わたしは、他人と理屈をこね回し、だんだんと大声をあげて議論を尽くし、相手に打ち勝つことばかりしていた。いつでも、自分の考えだけが正しいと信じ切って、意地を張り、理屈の世界に熱狂していた。

「普通に生きる」ことは嫌いで、何とかして、普通の人から、抜きん出ることばかり考え、あせっていた。

が、「無心――理屈抜きで、競争せず、安らかに普通に生きる」ことを目指したとたん、理屈をこねて議論に勝ったところで、何ら得ることはない、ということが、よくわかるようになった。さらに、こちらが理屈で勝ったとき、相手をいかに怒らせて

しまい、多くの友を失って、次第に孤立してしまっていたかも、十分、わかった。

いま、どうしても理屈をこねないといけないときがある。そんなとき、相手に勝とうとせず、できるだけ言葉はやさしく、こちらのいいたいことを、よく、わかってもらうようにしている。すると、相手も怒るどころか、とても感謝をしてくれて、親しく、仲良くできる。「無心」という、禅の一語のおかげである。

何事も前向きに考えられず、すべてが思うようにいかない。頭の中は、渦のように混乱してくる。毎日毎日、あせってばかり。つらく、暗い。

そんなとき、禅の一語が、自分の心をイキイキとさせてくれる。禅のたった一語が、自分の心を上向きにしてくれる。

禅の修行というものは、けっして、禅寺にだけあるのではない。

趙州《じょうしゅう》和尚（七七八―八九七）は、「歩々是道場《ほほこれどうじょう》」といっている。わたしたちの普通の生活の、一歩一歩が、禅の道場なのである。

その毎日の一歩一歩の生活が、つらくならないように、たった一語でもいい、自分の気に入った禅語を心に秘めて、クヨクヨしない、安らかで、明るい人生を送ってほしい。

境野勝悟

目次

1章

朝一番にやる気が出る「一日禅語」
——どんな日も「最高の一日」にする方法

2章

人づきあいがスッとラクになる「一日禅語」

——「頑張る」よりも、「考え方」を変えてみる

3章

仕事の迷いが一瞬で消える「一日禅語」
――あせらず、あわてず、自分らしく

4章

お金がないときの「一日禅語」

――だれがどう生きたって、最後は「ゼロ」

5章

いつも前向きでいられる「一日禅語」

――ストレスを捨てるのは、けっしてむずかしいことではない

6章

生まれてきてよかったと思える「一日禅語」

――〝いい気持ち〟で生きていく

7章

夜、ぐっすり眠るための「一日禅語」

――「幸せへの道」は、すぐそばにある！

（編集協力／岩下賢作）

1章

朝一番にやる気が出る「一日禅語」

——どんな日も「最高の一日」にする方法

1 今日一日を精一杯に生きる

――日日是好日《にちにちこれこうにち》（雲門広録《うんもんこうろく》）

「明日の自分」が「いまの自分」にのしかかる

生きている。すばらしい。生きている。それだけで、いい。生きている。あとは、何にも、いらない。

そう思ったとたん、今日が、明るくなる。嬉しくなる。楽しくなる。元気になる。

明日の自分は、「こうでありたい」と理想を抱いて生きることは、まことに、けっこうである。が、そのうち「こうでありたい」が、「こうでなくてはならない」「こうであるべきだ」と、だんだん、明日の自分の在り方が、プレッシャーとなって自分にのしかかってくる。明日に重点を置きすぎると、毎日が、気が気ではなくなる。

「日日是好日」。これは、唐末の雲門《うんもん》和尚（八六四－九四九）のよく知られた名言である。毎日毎日が、安らかでよい日である、という意味である。

禅家では、先のことは、気にかけない。いくら願望したところで、先のことは、思うようにいかない。先のことを心配するより、かけがえのない今日一日を、精一杯生きよ……と。

2

目覚めたら、昨日のことはスッパリ忘れる

——無《む》（無《む》門《もん》関《かん》）

元気がわいてくる「魔法の言葉」

人から無視された。人に認めてもらえなかった。朝、目が覚めたとたん、そんな苦痛は、実はどこかへ飛んで消えている。目が覚めようとする瞬間は、ほとんどの人が、「ああ、もうすこし寝かせておいてほしい」と願っている。

嫌な経験は、そのときだけにしたい。嫌なことがあっても、クヨクヨしなければ、何でもない。嫌な経験の思いを、積み重ねると、いつしか、苦しみが大山のように大きくなって、一生、苦痛の中で生きてしまうことになる。苦しみが小さいうちに、心の整理をして、気楽になることだ。朝、目覚めると同時に、過去を忘れ、過去から超越した自分になる。あれこれ過去にこだわらない。

「無」という言葉は、禅語の最高峰である。禅宗の呪文である。朝起きたら、毎朝、床の上に正座して「ムーッ」と叫んで、昨日まで自分にとっついていた「ある」とか「ない」とか「損」とか「得」とか「いい」とか「悪い」とかで苦しみ抜いた全過去を、一呼吸で捨てる。すると、またたく間に、今日が、開けてくる。

3 役に立つ人になる

――一無位《いちむい》の真人《しんにん》(臨済録《りんざいろく》)

結果的に毎日が楽しくなる

ああ、今日は、久しぶりの休日だ。家族をどこかへ連れていってやろう……。

ここで、「今日は、あの島へ連れていってやろう」と、すぐ自分の行きたいところへ行こうとする人がいる。妻や子どもの考えは、無視する。

反対に、妻に向かって、「きみの行きたいところはどこかな」「いや、別にありませんから、子どもたちの行きたいところへ、連れていってあげましょうか」と、自分の考えではなく、妻や子どもたちの意向をよく聞いてやる人もいる。

食堂をきめるにも、そうする。買物をするにも、そうする。禅では、それが出来て、はじめて**「真人」**とする。「まことの人」「まごころの人」だ。

いつでも、どこでも、まず、人が喜ぶようにする。人の喜ぶ様子を見て喜ぶ。自分も、まず、人のお役に立つようにする。さらに、常に自分は、人のお役に立てるような人になれるよう、汗を流して働き、学び、修行する。その人を、**「一無位の真人」**という。広く、深く、すべてを思いやり、楽しく生きる。

4

物事のいい面を見つける

――黙《もく》（維摩経《ゆいまぎょう》）

どんどん運命が好転する習慣

朝起きた。太陽がサンサンと降りそそいでいる。「わぁー、今日は天気でよかった」。朝起きる。雨がザァザァ降りつづけている。「ちぇっ、面白くもねぇ。今日は、雨か」と、朝からブツブツ文句をいいはじめる。そこだ。もし「ああ、雨だ。久しぶりの雨だから、植物たちは大喜びだろう」と、このように考えられれば、すぐさま一日の出発が具合よくいく。が、その辺が、なかなか思うようにいかぬ。

人生、あらゆる場面に、必ず、いい面と悪い面がある。この二面について、あれこれ理屈をつけて、こねくりまわすと、クヨクヨ悩み出してしまう。いつも自分の気分を上向きにするには、物事のいい面をうまく見つけて、あとは、あまり理屈をこねないで、一日一日を生きていくことだ。

「黙」。二つをくらべて、あれこれ理屈をいわないで、いい面を早く発見して、あとは、黙黙と生きる。「黙」とは、他人と必要以上に理屈をこねないで、しっかりと自分を自分らしく生きることだ。すると、どんどん、運命が好転してくる。

5

じっと見つめる

――空《くう》（般若経《はんにゃぎょう》）

もし明日、自分の目が見えなくなったら……

いい学歴を持ち、いい地位を持ち、いい仕事をして、バリバリ稼いでいる。五十代、男の花形である。かれは、自信を持ち、自分の努力と能力だけで生きている、と自慢している。その熱烈な生活ぶりは、まわりの男たちを、圧倒する。

が、ある朝、ふと目を覚ましたら、目が不自由になっている。それだけで、かれの人生や仕事に対する情熱は、干汐《ひしお》の波のごとく衰えてしまうであろう。

目が見える。この力は、学歴とは、無関係な力だ。仕事ぶりとも、地位とも、無縁の力だ。ましてや、稼ぎなどと、まったく関係がない。それなのに、目が不自由になったとたん、欲望の満足を達成する力を、失う。

目が見える。耳が聞こえる。舌が味わう。鼻がかぐ。手が動く。足が歩く。人のあらゆる生命を司り、活動せしめているものを、禅では、「空」（大自然）という。

朝起きたら、まず、この「空」の力が自分にあることを確認し、感謝しよう。「空」の力は、生まれる前からあった。そしていま、わたしの中に、ある。

6

「ひとりぼっち」になる

――一指頭《いっしとう》の禅《ぜん》（無門関）

一本の指に「生命の真実」がある

自分は、宗教は、好きでない。

自分が信じている神さまを信じない人を、平気で殺す。常に自分が信ずる神がいちばんいいと思って、他人が大切にしている神さまを、弾圧する。世界の歴史がはじまって以来、異教徒による宗教戦争は、あとをたたないから……。

はっきりといって、禅は、宗教ではない。禅宗という教団は、宗教ではあっても、禅は、宗教ではない。禅が信ずるものは、寺や仏像ではない。あなた自身の、たった一本の指の、尊い働きである。倶胝《ぐてい》和尚（唐代の禅僧）は、これを、「一指頭の禅」といった。一本の指に、生命の真実がある……と。生まれてから今日まで、どれだけ五本の指の世話になって生活してきたことか。たまには、「ひとりぼっち」になって、しみじみと五本の指と対話したらどうか。

孤独を嫌ってはいけない。自分の生命の尊さは、つと、立ち止まって、「ひとりぼっち」になって、自分と対話しなくては、わからない。孤独になる時間を確保すること。

7

一杯のお茶を味わう

——喫茶去《きつさこ》（五灯会元《ごとうえげん》）

気軽に「極楽」に行ける方法

あの人とは、どうも価値観が合わない。それだけで、その人には会いたくなくなる。他人の価値観と、自分の価値観を、口をとんがらせて激論しても、得るものは、ひとつもない。それなのに、どうして、価値観などという実体のない化けものを、気にするのか。

「喫茶去」。趙州和尚《じょうしゅうおしょう》（七七八－八九七）の禅語だ。「喫茶去」とは「お茶を飲んでいらっしゃい」という意味。趙州は、「生きていく上で、肝心なことは、何でしょうか」という質問をされると、「お茶を飲んでいらっしゃい」といった。人生にとって、人の価値観とか主義の主張は、争いのもとになるだけだ。わたしたちが、もっと気にかけ、大事に思わなくてはいけないのは、お茶を飲んだり、コーヒーを飲んで「ああ、おいしい」と、その美味がわかるときなのだ。体いっぱいで「おいしい」と味わったとき、一切の悩みが吹き飛んでしまうという点に、禅の抜苦《ばっく》の工夫がある。「おいしい」とほほえむ一瞬が、楽しい極楽である。

8

「変わらないこと」が尊い

――乾屎橛《かんしけつ》(無門関)

無視されても、変わらず仕事に打ち込めますか？

ある師僧に、「人生、どんなことを大事にしていくべきか」と尋ねた。
「ああ、それはなあ、桃の花が、去年と同じように、今年もまた春風の中で美しく咲いていることだな」（桃花旧に依って春風に咲く）。桃の花だけではない。梅の花も、桜の花も、去年と同じく咲いている。人も同じように、相変わらず。

趙州は、同様の質問に、こう答える。
「ああ、それはなあ、あの庭に茂っている柏《かしわ》の木だよ」（庭前柏樹子《ていぜんのはくじゅし》）、と。常緑樹の柏の木には、美しい花もない。柏の木を、だれも見てくれない。ほめてもくれない。でも、堂々と庭のまん中で生きている。しかも、毎年同じように大きく茂っていく。

雲門は、「尊いものは、何か」と問われ、「それは乾屎橛（糞かきべら）だよ」と、答えた。古代は、乾いた薄い篦《へら》で糞を処理した。糞かきべらは、人から汚いものとして嫌われ、嫌なものの象徴とされながらも、泰然《たいぜん》と、自分の仕事に、相変わらず打ち込んでいる。ほめられても、無視されても、けなされても……。

9

世の中、「うまくいかない」と覚悟する

――結果自然《けつかじねん》に成《な》る（少室六門集《しょうしつろくもんしゅう》）

そして、結果に身をまかせる

「必ず、うまくいかせる」と思ったとたん、心がズシンと重くなる。「何も、うまくいかなくても、いいじゃないか」と思ったとたん、ほっとする。まじめに、汗をかいて、計画通り一所懸命やったところで、世の中、なかなかうまくはいかない。だれが、どうもがいても、大抵はうまくはいかないものが世間なのだと、覚悟した方が、いい。もし、うまくいったら、失望どころか、大歓喜だ。

いずれにしても、うまくいくかどうかは、小川の水のようなもので、どこで、どう曲がっていくかは、わからない。

「結果自然に成る」。この言葉は、禅宗の始祖ダルマ大師の禅語である。すべての結果は、自然になるものであって、人為によらない……という意味である。

いくら努力したって、明日の自分の人生が、どのように転んでいくのか、まったくわからない。いい結果を夢見る前に、いま、出来ることをやる。いまだ。いま汗を流して頑張ろう！　結果は一切、運命だ。

10

こだわりを捨てる

——無《む》我《が》（伝灯録《でんとうろく》）

安らかさに満たされる方法

ああ、昨日は面白くなかった。他人とぶつかり合って、相手も傷つけたし、自分も不愉快だった。

会社では、同僚と、家では、妻や子とぶつかる。その原因のほとんどは、相手と自分の「考え」が違ってしまったから……。

現代人が、安らかさと和みのときを失ったのは、あまりにも、自分の「考え」に心をひかれ、とらわれ、深く思いつめて大切にしすぎるからである。

一般に、「あの人は、考えがしっかりしている」と「あの人は、あまり考えがない」とでは、天と地ほどの差があり、前者が絶対にいいと信じられている。が、禅では、逆転する。禅は、「考え」がない人を尊ぶのだ。本当に「考え」がないわけではない。が、自分の「考え」に、一切こだわらない、深く思い込まないのだ。

「無我」。日毎にコロコロ変わってしまうような自分の「いい」「悪い」の考え（我）に、あまり深くとりつかれない「臨機応変」を、しっかり身につける。

11

まずは相手の話に同意する

——如是《によぜ》（禅苑蒙求《ぜんえんもうぎゅう》）

人を嫌な気分にさせない

あなたは、狭い心を捨てて、出来るだけ心を寛大にしたいと、思ってはいないか。自分の心が広く大きくなれば、上司や部下や友や妻の発言に対して、いちいち、不快になったり、怒ったりしなくてすむ。

もし、温純な心で生活が出来たら、どんなにか、楽しい一日になるであろうか。自己修養を通じて、何とか、自分には厳しく、人には寛容な自分になろう。と、たとえば、坐禅を組んでも、腹の立つくせは、なかなか直ってくれない。

禅には、**「如是」**という、自分を寛容に育てていくすばらしい言葉がある。「如是」は「如如」とか「是是」ともいう。「如是」の意味は、「はい、その通りだ」とか「そうだそうだ」とか、「よしよし（ああ、なるほど）」である。人と話すとき、たとえ相手が自分と反対意見であっても、まず「如是」と認める。まず人の意見を静かに聞いて、「ああ、そうだね」といってから、自分の主張をおだやかに伝える訓練をする。こんな努力を続けていけば、心が、だんだん和んでくる。

12

金も名誉も切りがない

——一《いち》（老子《ろうし》）

金を追いかける前に考えるべきこと

ああ、金がない。ああ、もっと金が欲しい。目覚めたとたん、そう思ったら、ちょっと待ってくれ。人生、金だけがすべてではない。

金が欲しい。名誉も欲しい。地位も欲しい。そんなものを欲しがったら、切りがない。追っかけまわして、疲れ果てて、バッタリ倒れてしまう。

金を追っかける前に、床の中で、自分が、何の力で、この世に生まれてきたかを、しみじみ考えてみる。自分をこの世に生み出した力……。父や母ではなく、父や母も生み出した自然の力……。

禅では、そのものを生む力を「一」という。「一」は、老子から出た言葉だが、禅家でもこれを大事にする。男に女に生まれるときにお世話になった自然の生成力……。これには、名がないが、かりに「一」とした。この世に存在する一切の生命は、この「一」が、生む。この「一」の力がなくては、いま、あなたはそこにいない。お金の前に、まずこの「一」に感謝して、一日をスタートする。

13

「自分はすごい」と気づく

――仏魔《ぶつま》（正法眼蔵《しょうぼうげんぞう》）

至高の価値は、あなた自身にある

「仏魔」。時に、禅語は、おそろしいことを、いう。「仏魔」とは、仏さまは、魔物である、という意味である。

京都へ行ったり、奈良の寺で、うつくしい仏さまを拝む。信仰のためではなく、美術品の観賞であっても、うやうやしく合掌する。そのとき、仏さまを、魔物と思うであろうか。「仏魔」なんて、とんでもない。逆に、「仏尊」ではないのか。

ところが、禅では、仏を魔物という。禅の立場からいえば、あくまで、仏とは、人のいのちである。尊いものは、彫刻された仏像ではなく、あなたの生命である。この一点を、ぼんやり、見逃すと、「仏魔」という禅語が、不明となる。

禅は、いちばん尊いものを、外に求めない。禅は、あくまでも至高の価値は、あなた自身が、いま、生きているという現実にあるとする。あなたが、もし、自分という生命の貴重な価値をなおざりにして、仏像ばかりを尊んでいたら、仏像は、あなたをまどわす魔物になる。禅では、真仏は、常に、あなたの生命である、と諭している。

14

嫌な感情に巻き込まれない

——平常心《びょうじょうしん》(無門関)

気持ちがカラッと明るくなる考え方

いつの頃からか、どんな人も受け入れる心構えが、出来てしまった。

今までは、たとえば、支配欲の強い人に、ガミガミ説教じみたことをいわれて家に帰ってくると、不愉快でたまらなくなって、敵意さえ持った。気分を切りかえようと思って、海岸に立って、「バカヤローッ」と、怒鳴ってみても、一向に居心地が悪かった。その人に会ったとたん、胸がむかむかして、生活のリズムが狂った。

この頃は、感情の切りかえが、とてもうまくなった。つまらない、むだな「好き・嫌い」という感情にあまりかかわらないようにしたから……。そうすると、どんな人と会っても、笑って済ますことができるようになった。

「平常心」。これは、高校生や中学生まで知っている禅語で、南泉《なんせん》和尚（七四八－八三五）の言葉である。「あれが好き、これが嫌い」という気持ちを捨てれば、自分の心の中を狂わせないで済む。すると、晴れた大空のような平常心が生まれる。好き嫌いでつきあうのも、ちょっぴりならいい。が、こだわりすぎると害になる。

15

いわなくていいことは口にしない

——柳《やなぎ》は緑《みどり》　花《はな》は紅《くれない》(東坡詩集《とうばししゅう》)

ポジティブな言葉を選ぼう

朝から晩まで、できるだけ元気で明るい言葉を使っていれば、その一日の生活は、明るくなる。一日中、暗い言葉、悲しい言葉、さびしい言葉を使っていると、ものを見るにも、いつも悲観的になる。

鬱《うつ》になる人は、よく日記を書くといわれる。そこに書かれている言葉は、ほとんどが、自分で自分をあわれむ言葉で終始しているという。ああ、わたしはダメだ。なんて世の中は、つめたいんだ。わたしほど不幸な人はこの世にいない。そのうち、暗く不安な底に落ち込む。脇から見れば、ダメでも不幸でもないのに、事実が肯定的に見えない。

「柳は緑　花は紅」。柳はみどり、花は紅《あか》い。事実を事実として、ズバリ見て、あとは、とやかく、いわない。花は紅くて可愛いが、柳は、お化けの手みたいで気持ちが悪い……などと、事実と関係ないことは一切口にしない。口にすれば、心に影響を与える。余計なことをいわず、事実を事実として受けとれば、楽しい言葉の人生になる。

2章

人づきあいがスッとラクになる「一日禅語」

――「頑張る」よりも、「考え方」を変えてみる

1

まずは笑顔で話しかける

——常楽我浄《じょうらくがじょう》（大般涅槃経《だいはつねはんぎょう》）

対人関係が劇的に変わるコツ

どうしても、気の合わない人がいた。どうしても、好きになれない人がいた。もし、気の合わない人が、向こうから笑って話しかけてくれたら、どうだろう。向こうからニッコリ笑って、やさしく話しかけてくれたら、どうだろう。それだけであっさりと、敵意がなくなる。

ならば、常に、こちらから笑顔で話しかけたら、ちょっと、こじれていた人間関係も、ふと、ほどけはしまいか。

人間関係をよくするには、まず、こちらが不機嫌でないことが肝心だ。常に、ひとまず、ニッコリ笑ってから、行動すれば、相手の気持ちも引き寄せられる。

「常楽我浄」。禅門でいつも唱えるお経の中に入っている言葉だ。常に楽しい気持ちでいれば、対人関係が劇的に変わってくる……と、こんな意味だ。気の合わない人と笑顔をかわすのは、簡単に出来ることじゃない。でも、あえて笑ってみることだ。すると、なぜか、すばらしい人生が、見えてくる。

2

「好き嫌い」にとらわれない

——両忘《りょうぼう》（程明道《ていめいどう》）

「嫌な人のあとには、必ずいい人がいる」

今まで、つきあった人にも、何かの縁でバッタリ出会った人にも、たまらなく嫌な人がいる。見るのも、嫌だ。会うのも、嫌だ。交際上手の先輩に聞いた。

「あなたは、だれとでも、うまく、つきあいをしていますが、嫌な人に出会ったときは、どのように考えて、明るい顔で、平気でつきあっているのですか」

かれは、とっておきのコツを、こう話してくれた。

「嫌な人のあとには、必ず、いい人がいるんだよ。あのこわい仁王さまの奥に、笑顔の仏さまがいるのと同じだ」

「両忘」とは、好きとか嫌いとか、自分だけの物差しでものを選んではいけない。好き嫌いの両方とも、忘れて、縁のあった人と、まごころを込めて交際しなさい……ということだ。そのうち、不思議なことに、自分にとって不都合な人は、やがて離れていってくれるものだ。好きな人を認め、嫌いな人を否定しはじめると、結局、自分が悩み苦しむ。嫌い、好きにとらわれる自分の考えを、二つともに忘れる。

3

「一緒に出来ること」を見つける

——遊此《ゆうし》娑婆《しゃば》世《せ》界《かい》(観音経《かんのんぎょう》)

相手と仲良くなるいちばんの近道

日ごろから、どうもあの人は、嫌いだ。どうも、この人とは、合わない。どうもかれは、ガメツイから、一緒にいたくない。人というもの、顔を合わせれば、すぐ、好き嫌いが生まれる。あんな人のそばには、一瞬でも、いたくない……と。

ところがである。あんな嫌な奴と、まったく偶然に、ゴルフ場で、一緒の組になった。パッと打ち込むと、かれが、大声で「ナイス、ショット」といってくれる。林の中に打ち込んでしまうと、「ドンマイ、ドンマイ」といいながら、草の中に入った白球を、懸命になってさがしてくれる。ゲームが終わると、こんないい、さわやかな人が、この世にいるのか……と、思う。

「遊此娑婆世界」。この言葉は、観音経の言葉であるが、禅門では、よく唱える。人はこの社会で、うまく遊びなさい。そんな意味にとれる。なるほど、あんな嫌いな人とでも、ゴルフで一緒にたった一回プレイしただけで、仲良くなれる。嫌な人がいたら、碁《ご》でもゲームでもいい。一緒に遊べば、うまくいく。

4

水のようにさらりとつきあう

――淡交《たんこう》（荘子《そうじ》）

人づきあいで心をすり減らさない

ぶっきらぼうで、やきもちやきで、意地悪ばかり仕掛ける人が、いる。「気に入らなかったら、つきあわなくていい。ぴしゃっとカギをして、自分の心の中へ入れなくていいんだ」……。

そう簡単にいっても、実生活の仕事場では、なかなか、そううまく相手を意識から切るわけには、いかない。嫌な相手と一緒に仕事をしたり、面白くもない嫌な人が上司である場合……。何とか三食を無事に口にしたかったら、どんな面白くない人とも、やはりつきあわなくてはならない。

「淡交」。もとは、荘子の言葉である。が、禅語としても、よく使われる。水のように、さらりと、軽く交際する、という意味である。生活上、何かと自分を悩ませる人と、交際しなくてはいけないときには、「淡交」がいい。淡く、軽くつきあう。ただし、「ハイ」とか「わかりました」とか、「こんにちは」「お早うございます」ぐらいの挨拶だけは笑顔でする。そのうち、二人の波長は、何となく合ってくるものだ。

5

一歩下がって考えてみる

——回光返照《えこうへんしょう》（正法眼蔵《しょうぼうげんぞう》）

自分自身をよく反省してみると……

こっちも、嫌いだと思っている。向こうも嫌いだと思っている。そういう相手と向かい合って仕事をしなくてはならない。

そんなとき、ああ、毎日毎日、こんな暗い生活は、嫌だ。気の合った人とだけ仕事が出来たら、どんな気楽な生活が出来るであろうか、と、悔やむ。

が、自分の人格を高めるためには、時には、気の合わない人と仕事をする方がよい。相手と気が合わないときに、相手の嫌な点ばかりを見つめないで、一歩下がって、自分がなぜ相手に好かれないかを、考えてみる。自分の足りない点を自分で見つけ、少しずつ自分の弱点を直していくのも、実は、対人関係につよくなるコツだ。

「回光返照」という禅語がある。

向こうにむかっていく光を、ひっくり返して、自分自身にその光をあてて、自分を自分でよく見つめよ……と。対人関係が思うようにいかない場合は、人を責めるのではなく、自分自身を、よく反省してみるのも、すばらしい。

6

たとえ、けなされても心を乱さない

——不《ふ》動《どう》(金剛経《こんごうきょう》)

相手を変えようとするから「不仲」になる

自分にとって、面白くない意見を、でっかい態度で、堂々としゃべりまくる。まわりに、そんな人がいると、だれでも、だんだん不快になって、頭にくる。次に、この人の考えは、よろしくない。何とか、直してやろうと、こちらの意見を熱を込めて主張する。当然、こちらの考えを、相手は真っ向から、つぶしにかかる。よーし、それならばと、こちらも、応戦する。その人とは、もともとは、そんなに仲が悪くはなかった。それが仲の悪い関係になったのは、どこに落ち度があったか。

「不動」。名高い禅語である。が、この意味は、「動かない心」ではなく、「動かされない心」のことである。「動かない心」というと、自分の考えは鉄のようで、絶対に変えることはない。あくまでも、自分を主張していく。「動かされない心」とは、どんな不快な考えをいわれても、その意見に動転しない。けっして不快にならず、「ああ、この人はこんな考えで生きているんだ」で済ませて、いささかも相手の考えにひっかからない。これが「不動」だ。相手の考えを変えようとするから、不仲になる。

7

「人の悪口」をいう者は、報いを受ける

——礼拝得髄《らいはいとくずい》（伝灯録《でんとうろく》）

〝礼儀正しさ〟が、あの人の心を開く

わたしは、かつて、職員室に入るたびに、ひとりの先生が、嫌で嫌で、たまらなかった。というより、「あの先生が、自分のことをどう思っているか」が、何となく、気がかりだった。

ある日、わたしは、このことを安谷白雲《やすたにはくうん》老師に、おたずねした。老師は、すかさずこうおっしゃった。「それは、お前がその先生に無礼を働いているからだ」……と。

なるほど、わたしは、友人と、陰でその先生の悪口ばかりをいっていた。翌日から、陰口を一切やめた。朝は、「お早うございます」、帰りは「お先に失礼します」と、きちんとお辞儀をした。そのうち、なんと、その先生の方では、わたしのことを好きであったことを知って、愕然《がくぜん》とした。

「礼拝得髄」というダルマ大師の禅語がある。丁寧に、お拝をし、礼儀を尽くした人が、悩みをとるコツを悟る……というほどの意味である。対人関係でも、礼儀をきちんとすることで、おたがいに悪化した状態から、脱出できる。

8

「自分は自分、他人は他人」と割り切る

——応無《おうむ》所住《しょじゅう》而《に》生其心《しょうごしん》（金剛経）

人の行動に「深い意味」などない

茶髪をキラキラ長く伸ばし、まっ赤なシャツを着て、ひざの破れたジーパンをはいている。と、「いや、もうこの人とは、とてもつきあえない」とか、「この人は、どうして、こんな服装をしているのかな」と、考え込んでしまう。

自分の趣味に、何かと合わない友人といると、たとえ主義や主張が同じでも、気分がよくない。が、実は、友人や相手の趣味は、そんなに気にする必要はないのだ。余程非常識でないかぎり、「ああ、この人はこんな趣味を持っているんだな」と、軽く流しておけばいい。

「応無所住而生其心」。これは、禅宗六祖の慧能《えのう》禅師（六三八－七一三）が、この語によって悟りをひらいたので、禅語として名高い。人の心というものは、いちいち深い善悪の考えがあって、生ずるものではない……という意味である。

かれが、赤いシャツを着たり、古いジーパンをはくのも、そんなに深い考えでやっているわけじゃない。と、自分の批判力をゆるめると、イライラが、減ってくる。

9

見返りを期待しない

――無《む》功《く》徳《どく》(五《ご》灯《とう》会《え》元《げん》)

「ものをやる人」と「ものをもらう人」

「ものをやる人」と「ものをもらう人」では、どちらの人が、人間関係で苦しむだろうか。うっかりすると、「ものをもらう人」の方が、人間関係でチマチマ悩むことが多いと思ってしまうが、とんでもない。

いいものを、よく、くれる友だちがいると、実に気持ちがよい。しかし、「ものをやった人」は、どうしても、「あんなにいいものをやったのに、ろくろくありがとうもいわない」、とか、「たまには、お返しをもってこい」とか、「やったものを、もっと、うまく使ってほしい」とか……。「ものをやった」のに。この「のに」があると、ちょっとしたことで、相手の態度が不満になる。

「無功徳」。これはダルマ大師の禅語である。たとえ、友だちにいいことをしたり、いいものをあげても、あれもした、これもしたと、恩に着せたり、鼻にかけたり、お礼をいわれたりしようとしない。まず、人にものをあげる余裕のあることに感謝せよ……と。人に親切をしても、ご利益は、求めない。

10

「一生で一度しか会えないもの」

——一期《いちご》一会《いちえ》（臨済録《りんざいろく》）

千利休が教える「茶の湯の心得」

嫌な人に会うと、手がふるえたり、顔がカーッとあつくなったり、言葉に詰まってしまうことが、ある。

相手が、残酷な犯罪をしでかしたような心底から恐ろしい人間だった場合は別として、自分が交際している普通の範囲で、「嫌な人」と思っているのは、案外、自分だけが極端に嫌だと思っていることも、多いものだ。なぜなら、自分にとっての「嫌な人」を、好きだという人も、けっこういるから……。

相手が「嫌な人」なのではなく、ことによると、好き嫌いを過剰に持ちすぎる自分の方が、実は「嫌な人」なのかも知れない。

「一期一会」。一期とは一生の間、一会とは一回会う……という意味だ。茶道の千利《せんのり》休《きゅう》も、茶室内の心得として「一期一会」を大事にした。お茶室に入ったお客に対して、あの人は好きな人だとか、この人は嫌な人だとか思ってはならぬ。いま、ここにいらっしゃるお客とは、一生で一回しか会えない人だと思って、相手のすべてを認める。

11

相手に深入りしない

——風動幡動《ふうどうばんどう》（無門関《むもんかん》）

理屈抜きでは交際も出来ない？

かつて、どちらかというと、わたしは、友人に対して、ベタベタ深入りしすぎた。そのうちに、なぜか苦しくなって、友人に会うのが嫌になった。

深く愛し、深く思いやるのは、恋人同士に限るらしい。一般の人間関係は、あっさりしていた方がいい。相手とべったりしすぎると、どうも、いけない。距離を詰めると、妙に相手の考えと自分の考えの違いが、気になり出すのだ。

たとえ男女の間でも、だんだん交際が深まってくると、無意識のうちに「考え方」の相違が、二人の友愛の心に、ブレーキをかけてくる場合もある。

「風動幡動」。風がサッと吹くと、幡《はた》もパタパタはためく。風が止《や》むと、幡もとまる。風と幡が、いつも調和して、つかず離れず、いつも機嫌よく、おたがいに傷をつけないで行動しているのは、風も幡も、理屈で動いていないからなのだ。風と幡が、万一理屈をこねだしたら、二つの関係は破綻する。無門関にある面白い禅語だ。

理屈抜きでは交際が出来ないというなら、相手の考えを常に尊重する訓練が必要だ。

12

八方美人にならない

——破《は》草《そう》鞋《あい》（碧《へき》巌《がん》録《ろく》）

無責任な他人の評価を気にするな！

人間関係がうまくいかないと、自分は、何となくダメな人間だと思うようになって、とたんに、元気をなくすものだ。人間関係をうまくするには、いったい、どうしたらいいか、と、あせり出す。まったく、無用な神経をすり減らしてしまう。客観的に見れば、理想的とはいえないまでも、人間関係は普通にいっているのに……。

人間関係をうまくしたいと願っている人の多くは、何のことはない、ただ、ひたすら、人から「いい人」と思われたいだけの話だ。

「破草鞋」。名高い禅語だ。破草鞋とは、破れた草鞋《わらじ》という意味だ。破れたわらじは、汚くて、使いものにならないのに、人は、ほとんどが破れたわらじを頭に乗っけて生活していると……。

破れたわらじを大切にするように、無責任な他人の評価ばかりを気にして、身も心も疲れ果ててしまっては、何にもならないだろう。つまらぬ他人の目を大事にする前に、いま、あなたがやろうとしている仕事や修行を、もっと大切にすることだ。

13

「大きい道」も「小さい道」も長安に通じる

——大道長安《だいどうちょうあん》に透《とお》る（趙州録《じょうしゅうろく》）

出会う人は、すべて自分の成長のためにある

あなたは、今まで、いろんな人と、おつきあいをなさってきた。たくさん出会ったその人たちを、選択したのは、だれであろうか。

わたしも、いつか、そのことを考えた。結果、出会った人を、いちいち自分が選択したのではないことが、しみじみ、わかった。ある環境の中で、自然がその人と会わせてくれていた。大学の入試で隣りに坐った人と、まだつきあっている。

好きな人も、嫌いな人も、わたしの成長のために、環境が変わるたびに、自然から与えられていた。いろんな人と出会ったからこそ、自分の人生の舵《かじ》を、うまくとってこられたのだった。

「大道長安に透る」。

趙州和尚の禅語である。大きい道も小さい道も、長安（大安心の世界）に通じている……という意味だ。わたしを、わたしとして、今日まで育成してくれたのは、いい人だけではなかった。意地悪な人も、わたしを訓導してくれていた。

14

やきもちをやく人は人生を楽しめない

——関《かん》(無門関)

相手にすべき人とそうではない人がいる

人の喜びに、やきもちをやく人がいる。こっちが喜んでいるのだから、一緒に喜んでくれればいいのに、やきもちをやくだけじゃなく、意地悪を仕掛けてくる。

こういう人に、「やきもちなんかやくなよ」とか、「意地悪は、みにくいよ」とかいって、何とか軌道を修正してやろうとしたところで、効果は、ない。

人の喜びに、やきもちをやく人は、自分の人生を楽しめない人だ。それはかりか、いつも、人の心を暗くする人だ。

「関」という禅語が、ある。かんぬき（門をしっかり閉じるための横木）とか「へだつ」という意味である。自分の幸福な気持ちとか、安らかな気持ちをグチャグチャにしてしまうような人は、ぴしゃっと玄関の戸にカギをかけて、自分の心の中に侵入させない……という意味である。「玄関」の関の字は、禅語からきている。幸福感度の高い、豊かで明るい心の人には、中に入ってもらうが、やきもちやきや意地悪な人は、玄関にしっかりと鍵をかけ、中へは入れない。

15

「もらい」の多い人、少ない人

――清風明月《せいふうめいげつ》（碧巌録）

手を差しのべてくれる人が出てくる

放浪者とか、乞食《こつじき》とか、ホームレスとかの生活をしている人も、いわゆる「もらい」の多い人と、少ない人がいる。

どんなタイプの人が、「もらい」が、多いのか。とても、気になるところだ。人からものをもらっても、ぶすーっとしている者は、「もらい」が少ない。にこやかで、「ありがとう」という者は、手にあまるほど人の恵みを受ける。

放浪者とか乞食の中から、もし、学べるものがあれば、素直に学びたい。われわれも、笑顔と感謝があって、自分らしく仕事に打ち込んでいれば、たとえお金はなくても、好縁に恵まれ、いい人との触れ合いが、必ず待っていてくれる。

お金がなくて先が読めなくても、心配のあまり、笑顔を忘れては、いけない。苦悩の心からは、感謝の心が、生じない。**「清風明月」**。さわやかな風のような心。強欲のない清浄な月のような心という禅語だ。ただひたすら、毎日精一杯感謝して生活をしているような人には、必ず、手を差しのべてくれる人が出てくる。

3章

仕事の迷いが一瞬で消える「一日禅語」

――あせらず、あわてず、自分らしく

1

まずは「目の前の仕事」に精を出す

——随縁《ずいえん》（華厳経《けごんきよう》）

すべては「縁の力」でめぐり合ったもの

自分の思ったように、自分の考えたように方向をどんどん変えて生きることも悪くない。が、もうひとつ、そのときどきの大きい流れに合わせて、その場、そのときにふさわしい生き方を工夫しながら環境に合わせて生きていくことも、大切なことだ。

人生、いくら才能があっても、自分が思ったように、自分が考えたように生活することは、若いうちしか出来ない。年をとるにつれて、自分の思いや考えだけでは、動いていけなくなる。人生は、目には見えないし、なかなか感じられないが、「縁」という偉大なる力によって、生かされていくというのが、禅の見方だ。選んだ仕事も、選んだ会社も、もちろん、あなたが思い、あなたが考えて決定したのだが、もうひとつ、実は、縁という力によって、天から与えられた運命である……と、禅では、考える。

「随縁」。「縁」の力とは、現代流にいうと、大自然の化育《かいく》力である。仕事や会社に対して、文句をいったり、余計な不安を感じる前に、「縁」の力に随《したが》って与えられた仕事に精を出していれば、縁の力が、必ずいい生活のリズムをつくってくれる。

2

毎日ひとつは、新しいことに挑戦する

――空華万行《くうげまんぎょう》（洞上雲月録《どうじょううんげつろく》）

ちょっと失敗してしまったとき

うまくいくと、なぜ、喜ぶのか。うまくいくと、人が、ほめるからではないのか。うまくいかないと、なぜ、悩むのか。人がけなし、馬鹿にするからではないのか。ならば、あなたが、孤島でひとりぼっちで暮らしているときは、どうだろう。うまくいくとか、うまくいかないとか、まったく気にしないで、何でも、やりたいことを、次々やれるのではないか。

人から認められよう。人から尊敬されよう。何かやったら、相応のお金を稼ごう。だれもが、何かを期待して、行動している。それは、当然のことだ。が、禅の生きる秘訣は、違う。

「空華万行」。空華とは、花が咲かないことだ。万行とは、何でもする、ということだ。だから「空華万行」とは、花が咲かなくても、つまり、うまくいかなくても、次々に決心をかためて、何でもやってみる……ということだ。うまくいっても、いかなくても、そんなことは、ほんのちょっとの体験談だ。

3 えり好みをしない

——唯《ゆい》嫌《けん》揀《けん》択《じゃく》（信《しん》心《じん》銘《めい》）

だから、「迷い」からいつまでも抜け出せない

気分が落ち込んで、仕事や会社をやめてしまおうと悩むときは、だれにでも、一度や二度はあるであろう。ああ、もう、この仕事は嫌だ、この会社は、嫌だと思いはじめると、人生を、悲観的に見るようになって、そのままほっておくと、どんどん暗い気分になっていく。

なぜ、仕事や会社が嫌になるのか。理由は、いろいろあるだろう。が、まずは、もっと、いい仕事があるのではないか。もっと、自分を満足させる会社があるのではないか。こんな気持ちになったとたん、自分の心の中に、会社の嫌な面が、山ほど見えてくるのだ。この会社を辞めるか。残るか。大選択を抱え、けわしい岐路に立たされている人が、たくさんいる。

「唯嫌揀択」。唯《た》だ揀択《けんじゃく》することを嫌うのみ……と、読む。揀択とは、ものをえり好みすることだ。禅では、くらべっこをして、人生の方向を選択することを、嫌う。くらべる前に、自己実現のために、目前の仕事に立ち向かう。

4

「この人の役割は何だろう」

――明明《めいめい》百草頭《ひやくそうとう》（龐居士《ほうこじ》語録《ごろく》）

みんな、天から与えられた「役がら」を生きている

一般の日常生活で、人との関係をスムーズにするには、言葉づかいを丁寧にして、きちんと礼儀正しい挨拶ができれば、まず他人からとやかくいわれない。

が、おそろしいのは、会社の上司だ。上司はだれでもそうではない。ちょっと立場が上になっただけで、下の者に妙にえばり出す人が、けっこう多い。せっかく、こちらが丁寧な口調で話しているのに、「お前の報告は、まどろっこしい。もっと簡単にやれ!」とか、こちらがきちんと礼を尽くしているのに「もっとザックバランにやれ!」と大声を出す。カチンと来る。こんな無礼なヤツとは、一緒にいたくない。

禅語に**「明明百草頭」**がある。百草頭とは、いろいろの花。明明とは、花がみんな自然の生命であることが、ハッキリしているさま。美しい花も毒の花も、自然の生命だ。自分の気に入る上司も、気にくわない上司も、みんな天から与えられた「役がら」を生きているのだ。無礼な上司に出会ったら、「この人は、天から悪役を命じられているんだ。ご苦労さま……」と思うこと。嫌いな人も、大きい目で見れば、許せる。

5

たった一歩の差が、天と地の差に

――毫釐《ごうり》も差有《しゃあ》れば天地《てんち》懸《はる》かに隔《へだ》たる（信心銘）

絶望するか、反省するか

一所懸命やったのに、うまくいかなかった。今まで住んでいた平和な場所から、外へはじき出された。何とか笑おうと思っても、苦悩の涙が落ちる。生きがいが、すっかり、なくなってしまう。

こんなとき、家にこもって、苦悩の心をそのまま放っておいては、危険だ。もし日ごろから世話になっている心あたたかい精神的な指導者がいれば、飛んでいって、相談する。そんな人が、いないときは、現実から一歩遠いところへ身を置くと、自分を押し潰したのは、何であるかがわかってくる。現実から離れると、捨てたくないものも捨てられ、新しい生きがいが見つかる。

「毫釐も差有れば天地懸かに隔たる」。ちょっとの差が、天と地ほど違ってくる……の意だ。うまくいかなかったとき、絶望するか、反省するかの一歩の差だ。反省すれば、次の一歩が明るくひらけてくる。うまくいかなかったことは、捨てる。自分の弱点を改善して、ひとつ大きくなる。この一歩の差が、将来、天と地の差となる。

6 成功への道は一直線ではない

——曲成《きょくせい》（周易《しゅうえき》）

うまくいかなかった人ほど大器になる

あれをやっても、うまくいかなかった。これをやっても、うまくいかなかった。でも立ち直って、どうやら生きている人は、まことに、謙虚で味があって、よい。

大学受験から、就職まで、一本筋に光輝いた道を歩いてきた人は、胸を張って威張る人ばかり……。いい出したら止まらず、我見《がけん》ばかり通して、孤立する人が、多い。もちろん、すべてではない。

人生、若いうちから、あまりうまくいかない方がいい。大器の人の人生は、例外なく、うまくいかなかったことの連続である。

「曲成」。

この熟語は、固有の禅語ではなく『周易』の繋辞《けいじ》にある。が、曲成の生き方は、禅の宗旨とぴったり一緒なので、禅宗でよく使われる。「曲成」の意味は、成功への最短の一直線の道ではない。うまくいったり、うまくいかなかったり、川の流れのようにくねくね曲がりながら、生きていく方がいい……。実にのびのびした教えだ。

7

上手に休みをとる

——身《み》の贔屓《ひいき》（盤珪法語《ばんけいほうご》）

「自分だけがうまくいかない」のではない

人はだれも、うまくいったり、うまくいかなかったり、その両岸をふらふらしながら、生きていく。やることなすこと、すべて、うまくいっている人など、どこにもいない。むしろ、手を出すたびに、うまくいかない人の方が、圧倒的に、多い。

問題は、うまくいかなかったときに、妙に敏感になって、たったひとつの失敗で、ザックリと心に傷がついてしまうことだ。そういう人に限って、「自分は、あれほど、よく計画したのに」とか、「あれほど熱心に仕事に励んだのに」とか、自分のしたことを過大評価している。

一切の迷いは、みな**「身の贔屓」**。

盤珪和尚（一六二二－一六九三）の禅語である。事がうまくいかなかったときに、自分だけを可愛く思い、自分だけを守り、自分のしたことに好意を持ちすぎるから……迷い悩む。

過去の「身贔屓」を捨て、上手に休みを取って、心の傷口を治すようにする。

8 セカセカ生きるのは、もうやめる

——遠山無限《えんざんむげん》（碧巌録《へきがんろく》）

「自分さえよければいい」と思っていないか？

急いで、急いで、息せき切って、セカセカ生きるのは、もう、やめよう。早く、早くと追いたてられて、ほっとする時間がないと、疲ればかりがたまる。競争なんかしないで、もっと、ゆったり、落ちついて、晴れやかな気分で、仲よく笑って生きていけたら、どんなに、自分が好きになれるであろうか。

早くよい結果を出す。これは、無理なのだ。ある人は、工夫と能率的努力で早くよい結果が出るかも知れない。が、そのとき、はげしい競争をして、よい結果が出せなかった者は、つぶされている。道理にかなった「よい結果」とは、腰をすえて、手をとり合って、みんなでゆっくり出すものだ。「よい結果」を、みんなで祝い、喜ぶ。自分だけの我利の「よい結果」が、他人を痛めては、道理に反する。

「遠山無限」。この禅語は、「禅に生きる極意とは、どのようなものですか」の問いに、雪竇《せっちょう》（九八〇－一〇五二）が答えたものだ。高原の宿から、みどりが重なっている遠い山々を、望む。あのときの、広くゆったりした気持ちで生きるのが、禅の極意だ。

9

一歩、一歩を踏みしめる

――歩歩《ほほ》是道場《これどうじょう》（禅林類聚《ぜんりんるいじゅう》）

エゴに振り回されている人に贈る「心の安定剤」

一度、思いきって、自分が死んだ気持ちになると、今まで見えなかったことが見えてくる。今まで耐えられなかったことが、平気で耐えられるようになる。

死んでしまったら、もう、歩けない。歩きながら、一歩一歩の足の力のすばらしさが、身にしみる。草原であろうが、丘であろうが、会社の階段であろうが、ただ、ひたすら、一歩一歩と確認して歩く。すると気持ちが、落ちついてくる。

自分は、中学生のころから、「自分の考えを、しっかり持ちなさい」と教育されてきた。幸福に生活するには、「自分の考え」を持つことだと、思い込んでいた。

が、社会に一歩出る。と、ビジネスの世界は、容赦なく、利益をあげるノウハウの「考え」で支配してくる。自分の考えがしっかりしている人ほど、苦労する。

「歩歩是道場」。「歩歩」とは、一歩一歩自分が歩いていることを、感謝することだ。禅では、この一歩一歩が道場だという。一歩一歩と歩いていく動作のすばらしさに感動しつつ、実は、自分持ちの自分だけの「正義」が死んで、なくなる。

10

「落ちる」ことを恐れない

——幽谷《ゆうこく》に入《い》る（孟子《もうし》）

上昇志向とは無縁の「禅的生き方」のすすめ

こんな仕事をしていては、自分の人生がだめになってしまう。もっと高い収入の会社へ転職しよう。もっと待遇がよく、自分をもっと親切にあつかってくれるところへ移動しよう。こんな気持ちで、仕事や職場を変えたりすることを、禅では好まない。

もっと、もっと、つらい仕事をして、自分をきたえよう。もっと、もっと、収入の少ない所へ転職して、貧困にたえる自分をみがいていこう……。そんなバカらしい生き方は、ごめんだろう。それは、よくわかる。しかし、禅的生き方は、上へ上へ、もっともっとと高く登っていくのではなく、人目にもあまりつかず、みんなから軽視される下へ下へと下っていくのである。目立たない社会的地位や仕事に安住することで、心は、常に、深く、広く、大きく、清らかに生きることを、望むのだ。

「幽谷に入る」。これは、孟子の言葉だ。高い木ばかり登ろうとしないで、静かで人目につかない谷で生きている人と、なごんで生きる。いつの間にか、禅語となった。宮沢賢治は、「ホメラレモセズ、クニモサレズ」、そういう人になりたい、といった。

11

自分の思い通りにしようとしない

——天行健《てんこうけん》なり（易経《えききょう》）

なぜ「会社に行くのが嫌でたまらない」のか？

いまから思うと、何ということはなかった。どうして、あんなつまらないことで、あんなに苦しみ、悩んだのか。いま思うと、その頃の自分の身動きの出来ない重い苦悩が、バカらしくてならぬ。が、あのときは真剣に苦しみあえいでいた。

当時、勤めに出るのが、嫌で嫌で、たまらない日が、いくらも、あった。そんな夜は、安らかではなかった。

ある日、勤めが、こんなにも暗く、重たく、嫌なのは、なぜかを考えた。いくら思案してもその原因は、わからなかった。が、いまになると、よく、わかる。

何のことはない。ただ、勤めが自分の思うようにならない、自分がしたいように出来ない……。それだけだった。

「天行健なり」。天行健やかなり、とも、読む。天行とは、自然の運行である。大自然は、いささかの苦悩もなく、いつも、健やかである。自分の思うように、したいようにという思惑が、まったく、ないから。

12

仕事や会社にとらわれない

——仏《ほとけ》に逢《お》うては仏《ほとけ》を殺《ころ》す（無門関《むもんかん》）

もし会社が嫌になったら、「友達の会社だ」と考えよ

「仏に逢うては仏を殺す」。これは、無門慧開《むもんえかい》（一一八三－一二六〇）の、まことにビックリする禅語だ。仏教徒は、仏を信じている。その仏を、殺せ、という、まことに物騒な言葉だ。なぜ、こういう極端なことを、無門禅師はいうのか。

自分が子どもの頃、よく、「ウソをつくと、閻魔《えんま》さまに舌を抜かれるよ」といわれ、閻魔さまがこわくて、ウソをつきたくても、つけなかった。閻魔は恐ろしく、大嫌いだった。閻魔も、仏像である。仏さまは偉大だが、だんだん、自分を抑えつけ、自分を束縛してくる。「仏を殺せ」といっても、仏教を否定するわけではない。仏にとらわれてはいけない……という意味だ。仏を超越したとき、ほんとうの仏がわかるし、自分が自由自在にあかるくなる。

最初は、よかった会社も、次第に嫌になることが、あるだろう。そんなときは、「会社を殺す」のだ。殺すとは、会社を超越することだ。会社を超越するとは、自分の会社を「友達の会社」だと思うことだ。友達の会社だと思えば、何の文句もない。

4章

お金がないときの「一日禅語」

——だれがどう生きたって、最後は「ゼロ」

1

まるはだかで生きる

——本来無《ほんらいむ》一物《いちもつ》（六祖壇経《ろくそだんきょう》）

貧しくても幸せに満たされる〝考え方〟

おぎゃぁー、と生まれたときは、一銭も持っていなかった。「はい、さようなら」といって、この世を去るときも、一銭もいらない。いや、一銭も持っていけない。三十億、五十億と稼ぎまくった人も、死ぬときは、無一文。

カネ、カネ、カネ、カネ、と、カネばかり大事にして、「カネがなくては、生きていけない」と思っているのは、自然界で、人間だけだ。セミも、トンボも、うぐいすも、せきれいも、カネは一銭も持たずに、たくましく、一生をまっとうしている。

「いまの生活の現状は、何とか維持したい」「これ以上、悪くなりたくない」という意識を持っていると、どうしても、不安になりがちである。貧乏のどん底にいたときには、明日の心配など、何ひとつなかったのに、ちょっぴりお金が貯まってくると、明日は大丈夫かな、と、未来を心配しはじめる。

「本来無一物」。人は生まれたときは、何も持っていなかった、という禅語だ。もともとは、まるはだか。このゼロの心境で生きれば、心配なく楽しく前へ歩ける。

2

乞食をしても、生きる

——托鉢《たくはつ》（百丈清規《ひやくじょうしんぎ》）

だれもがあえぎながら生きている

うまくいかないときの最高峰、それは、倒産だ。左にくねり、右に曲がって、何とか舵をとってきたのに、破産の宣告をしなくてはならない。どんな仕方でもいいから、再出発をしたい。が、もう体力がない。気力も失せた。ついに、不幸にも尊い生命を、自分で終止する。

そういう人の苦しみは、容易ではなく、とても他人が推察できまい。でも、みんなが苦しいのだ。それでも歩いているみんなの人生の道だ。みんなあえいでいる。でも生きている。ふらふらしながら、歩いている。

「托鉢」。これを「行乞《ぎょうこつ》」とも「乞食《こつじき》」ともいう。禅宗の修行僧は朝から晩まで、じーっと静かに坐禅している。かれらは一般の人のように、食べるために働く時間がない。米びつの中は常に空っぽ。こんなとき、百丈和尚（七四九－八一四）はいった。「鉢（茶わん）を捧げて、豊んだ人とか、貧しい人とか、まったく気にせず、乞食になってもらってこい！」と。乞食をしても、生きる。これが、禅の哲学だ。

3
他人に頼らない

――自灯明《じとうみよう》（釈尊《しやくそん》）

お釈迦さまに学ぶ「強く生きる」ための智恵

だれでも、重たく気持ちが沈んでしまう朝がある。窓をあければ、まぶしいくらい輝いている光があるのに、心の中は、真っ暗やみになっている。

そんなとき、いくら自分の気持ちを、明るくしようと思ったとて、暗いままだ。

それは、なぜか。子どものころから、他人ばかりを頼りにして生きてきたからだ。他人に照らされ、他人に評価されることに、いちいちびくびくして生活してきたからでは、なかったのか。

「自灯明」という禅語がある。この言葉は、釈迦《しゃか》がいのちを終えるときに、ポツンと残した有名な言葉だ。けっして、他人の灯明を頼りにしてはいけない。自分の心の中に、ポッと小さな灯明をつけなさい。他人からもらう光でばかり生きていると、いつ光を消されて真っ暗になるかわからない。

「なーに、いざとなれば、他人に頼らなくても、自分一人で何とか生きていくさ」そのとき、心の奥に、あかりが点灯する。自分を灯明にすれば、暗い会社も輝く。

4 あせらない

——平歩青霄《へいほせいしょう》（碧巌録《へきがんろく》）

二重、三重の不幸が重なっても……

自分が手を抜いて、ことがうまくいかなかったなら、何も悩むことはない。次にやるときは、手を抜かなければよい。

が、自分は仕事に一所懸命打ち込んで、遅刻もなく、欠勤もなく、元気に明るく手を抜かずにやってきたのに、不景気の波をくらって、会社が倒産して、職を失する。重ねて、妻が重病におかされ、長男が運動中に大事故を起こす。

今まで、いろいろな苦難を乗り越えてきても、こう二重、三重と不運が重なると、心も体も、すっかりめげる。

「平歩青霄」。碧巌録にある禅語である。「平歩」とは、ゆっくり静かに歩くこと。「青霄」とは、見渡す限り晴れ渡り、一点の雲もない青空。

つまり、逆境（思うようにいかないとき）ほど、けっして暗い気持ちで、あくせくと急いではいけない。晴れ渡った美しい青空の下の小道を、ゆっくり歩くように、悠然と生きていこう……と。

5

夢が実現しなくても、気にしない

——夢《ゆめ》（沢庵《たくあん》）

泡のように消えるはかないもの

ふと、夢で目覚めた。ああ、いい夢を見た。いや、今朝は悪い夢を見た。が、いい夢も悪い夢も、泡のようにパチンと消える。現実の生活で、夢を持って生活をすることは、人生を楽しくさせてくれる。自分の夢の実現……。これこそ生きがいだ。

が、実は、現実生活の夢もまた、床の中の夢のように、いつかは、はかなく消えるものだ。金メダルをとって、やっと夢が実現した。その次も、その夢を実現することは、むずかしい。一代で大金を儲けた。が、三代つづけて大金持ちでは、いられない。長い目で見ると、夢の実現は、人生のひとつの通過点にしかすぎない。夢が実現したすぐあとに不幸がくる。夢がかなわなかったすぐあとに幸福がほほえむ。

「夢」。これは荘子にある語だが、禅家では、沢庵（一五七三－一六四六）をはじめ多くの禅僧が行筆《こうひつ》する。もし、あなたが努力したにもかかわらず夢が実現しなかったら、朝起きたときに、昨夜見た夢と同じように、パチッと目覚めて、その夢の一切を忘れる。

6

不幸の中に「面白み」を見つける

――梅花雪《ばいかせつ》に和《わ》して香《かん》ばし（禅林句集《ぜんりんくしゅう》）

一年中ハッピーだと、人生つまらない

今日も晴れ。明日も晴れ、あさってても晴れと、一年中晴れだったら、つまらない。雨あり、風あり、雪あり、くもりあり。それが、自然の姿というもの。

人生も、そうだ。今日もハッピー。明日もハッピー、あさってもハッピー。一年中ハッピーだったら、人間として、広い幅を持った、魅力ある心は、生成されない。悲しい日がある。つらい日がある。苦しい日がある。不幸な日がある。

高杉晋作は、息をひきとるとき、**「面白き　こともなき世を面白く　住みなすものは、心なりけり」**と、いい残している。面白くない世の中を、自分の心ひとつの持ち方で、面白くすることができるという、歌意である。

「梅花雪に和して香ばし」。せっかく咲いた梅の花に、つめたい雪がつもってしまった。何て不運なことか。しかし、禅の見方は違う。厳しい寒さを凌《しの》いでやっと咲いた梅の花に雪が乗っている。まっ白な梅の花の上に、まっ白な雪を乗せ、花はますます美しく、気高い香りを放っている……と。不幸は嫌ってはいけない。

7

「安定」に満足しない

――百尺竿頭《ひやくしやくかんとう》に一歩《いつぽ》を進《すす》む（無門関《むもんかん》）

気持ちを新たにしなければ、明日は始まらない

無門関にある、おもしろい禅語である。「百尺竿頭、如何《いかん》が、歩を進めん」と。あるとき、石霜《せきそう》和尚（九八六－一〇三九）が、みなに問いかけてきた。百尺とは、一尺が曲尺《かねじゃく》で三七・三センチだから、約三十メートル。竿頭とは、竿《さお》の頂上。つまり、百尺竿頭とは、約三十メートルの竿の頂上となる。一所懸命になって、手をたぐり、足を押しあげて、三十メートルの竹竿を登りつめた。さあ、そこから、もう一歩進め……という禅語である。

あなたなら、どうするか。せっかく、登りつめた頂点である。だれも登ってこられない、孤高の場所である。何とか、この頂点に、安坐したい……と、たいていの人は思うであろう。努力を重ね、工夫をこらして得た地位である。守りたいのは、当然の気持ちである。

が、禅の考え方は、こうだ。「もう一歩進んで、落ちてしまえ！　出発点へもどって、気持ちを新たにしろ！　そうしないと、明日は開けてこないぞ！」と。

8

「お金がなくても先は明るい」

——唯心《ゆいしん》(華厳経《けごんきょう》)

人生は、自分が思っている通りになる

人生は、いま自分が思っている通りの人生になっていく。心が何をどう思うかということは、思いのほか、重大である。自分は長生きができると思っている人は、長生きするそうだ。自分は短命だと思っている人は、やはり、そうなる。「自分はこんな人生を送りたい」と、努力していると、自然にそうなっていく。これが、まことの事実であったことが、最近の脳の研究で、科学的にも、わかってきた。

「お金がないから、先が読めない」と思っている人は、いつまでたっても、先が読めない。「先が読めない」と思っている人は、お金があっても、お金がなくても、先は読めないのだ。「お金がなくても先は明るい」と思っていればいい。

「唯心」。華厳経の中心思想である。一切は、ただ、心の持ち方次第である、という意味。自分の人生は、自分の心がきめていくのだ。まず、自分の心の働きのすばらしさに気づくことだ。現代人は、とかく、ものを悲観的に見て、将来を不安にびくびく疑ってかかる。強い信念が、ない。

9

いい結果も悪い結果も等しく受け入れる

――散る紅葉《もみじ》(良寛句集《りょうかんくしゅう》)

もみじが裏も表も美しいのはなぜか

この世の中、いかなる存在も、プラスマイナスのエネルギーの働きで活動する。成功ばかりではない。失敗もある。失敗ばかりではない。成功もある。この二つの間を、いったりきたりしているのが、人生である。プラスがいいわけではない。マイナスが悪いわけではない。プラスとマイナスが組みになって、進んでいくうちに、すばらしい人生がうまれてくる。もし、プラスを喜んで、マイナスを嫌ったら、人生は、しょっちゅう、文句をいって悩まなくては、ならない。マイナスには、マイナスのよさが、あるのだ。**「うらを見せ　おもてを見せて、散るもみじ」**この句は、良寛和尚（一七五八－一八三一）が、この世を去るときに詠んだ辞世の一首である。ああ、もみじがハラハラ散っていく。表を見せたり、裏を見せたりしながら……。良寛は、この歌で、人生を詠んだのだ。一見幸福そうに見える人も、どこかで不幸を味わっている。人も、幸、不幸の両方を経験しながら、散っていく。もみじの裏も、美しい。もみじの表も、きれいだ。裏も表も、もみじの姿なのだ。

10

「一度、自分は死んだもの」と開き直る

——大死底《だいしてい》の人《ひと》（碧巌録）

苦しくて自分の殻に閉じこもってしまったときは……

禅語で、**「大死底」**というのは、死んだ人という意味ではない。大死とは、生きていながら、一度、自分が死んでしまったつもりになる、ということだ。

ちょっと、いい方をかえると、自分の生命を、ポイと捨ててみる。自分の生命が、もしなくなったとしたら、いったい、どうなるのか。そうすると、そこに、イキイキした世界が現われる。自分の人生を、まったく違った気分で生きられる。

「大死底の人」は、臨済《りんざい》和尚（？－八六七）の言葉で、あまり感じのいい言葉ではないと思う人もいようが、禅では、「大死一番」（生きながら死んだつもりで生きるのが、一番いい）とか、「大死大活」（死んだつもりで生きれば、大活力が出る）とか、自分らしくイキイキと生きようとするなら、一度、死んだつもりになれ、と、つよく主張する。「仕事、会社を辞めてしまいたい」……。劣等感がつのり、自信をなくし、消極的になり、自分の殻に閉じこもってしまう苦しみは、よーくわかる。が、一度、思いきって死んだつもりになれば、必ず、活力をぐんぐん発揮出来る。

11

「自分なりの価値観」を持つ

――不《ふ》思《し》善《ぜん》　不《ふ》思《し》悪《あく》（六祖壇経）

「世間の分別」を疑え

青春とは、何か。若さである。

では、若さとは何か。人から、よいとか悪いと評価されても、ほとんど気にしない点にある。

ところが年をとるにつれ、他人から、よいとか悪いとかいわれると、とてつもなく、苦しくなってしまうのだ。そこから、妙に引っこみ思案になったり、不必要な劣等感ばかり持つようになる。

「不思善・不思悪」。これは、慧能《えのう》の禅語である。あまり、しつこく、あれがいい、これは悪いという世間の評価で、自分を傷めてはいけない……と。「善とも思わず、悪とも思わず」に、世の中の善悪を超越したところに、自分自身の心の中に、自由自在な自分らしい善悪の判断が生じてくる。

あれこれ、意見や主義の討論を聞いていても、実際のところ、ちょっと冷静になれば、どちらがいいのか、その善悪の基準はまったくわからない場合が、多い。

12

「自分は何のために生きているのか」と考える

――衣《え》食《じき》の為《ため》にする事《こと》莫《なか》れ（大燈国師《だいとうこくし》遺誡《ゆいかい》）

「人生でいちばん大切なこと」とは

お金を稼ぐには、どうしたらいいのか。貧乏は、あまり、したくない。とにかく、せっせと働く。さらに、せっかく得たこの地位を、何とか守らなくては、いけない。リストラされたら大変だ。地位を安定させるためには、うまく自分を守って、何があっても、責任は逃れられるように、神経をすり減らしてせっせと働く。

物質的には、あふれる豊かな世の中で、人の表情は、まったく逆で、むっつりして、あせっていて、さえない。人生でいちばん大事なことは、まず、自分の心の中を、サッパリと、すこやかにすることであることを、わかってほしい。

「衣食の為にする事莫れ」。人生、食べることだけに生きてはいけない。これは、大《だい》燈《とう》国師（一二八二－一三三八）の遺言である。かれも、修行が徹し大僧都《だいそうず》の地位を得るや大徳寺を辞し、二十年乞食の生活をした。将来の不安を持たず、無一文で、乞食と一緒に、自由自在に生きた。もちろん、妻子があれば乞食にはなれまい。ただ、乞食になった覚悟で日常を生きよ、と、禅師は諭す。

5章

いつも前向きでいられる「一日禅語」

――ストレスを捨てるのは、けっしてむずかしいことではない

1

考えすぎない

——快哉《かいさい》（碧巌録《へきがんろく》）

苦行の果てに、悩みを吹き飛ばす

「明日の講演は、うまくいくだろうか」「一時間半で、全部、話題をおさめられるだろうか」「明日は、日曜日なので、中学生も来るという。どのように話したら、わかってもらえるだろうか」「年をとった方が、居ねむりしないように」「千人集まるというから、体力をつけなきゃいけない。早く、寝よう……」

早く、早く、とあせる。ねむれない。不安になる。苦しくなる。朝までパッチリ。九時お迎え。十時スタート。早朝まで、ねむっていない。体力がない。体力がないから力めない。講演が、終わる。大拍手。大成功。力まないひかえ目の話が、うけた。「わあー、やったぁ」と、ひとりで喜ぶ。そんなことをくり返しているうちに、「寝なくてはいけない」から「寝なくっても、大丈夫」となる。不安が消えた。

簡単に登れる山は、山頂についても感動が少ない。心の底から、やったぁと、叫ぶのは、けわしい山を苦労して山頂を征したときだ。**「快哉」**という禅語は、苦行の果てに、悩みを吹き飛ばしたときは愉快でイキイキする……という意味だ。

2

捨ててしまえ!

——放下着《ほうげじゃく》(従容録《しょうようろく》)

こんな人の特効薬！

うっかりして、大変ひどいことをしてしまった。何と、わたしは、馬鹿なことをしでかしたことか。こんなひどいことをしてしまった自分に、もう未来はない。

心に深いキズを負いながら、自分がいかに悪いことをしたかを、友に語り、両親に語り、他人にその経験を伝えれば伝えるほど、後悔と罪の意識が自分の中に閉じこめられて、日ごとに自信と気力を失う。

そんなときには、自分の失敗をくどくど人に相談するんじゃない。人に話して、気持ちよくなるはずはないのに、助けを求めて、かえって前へ進めなくなる。

「放下着」。捨ててしまえ！　投げ捨てろ！　という禅語である。世の中には、反省してスッキリする人と、反省して、クヨクヨする人がいる。これは、タイプだから何ともしようがない。生まれつきだ。失敗を反省しすぎて、クヨクヨする人は、過去が忘れられず、痛みと悩みを心に秘め、自分のいのちのエネルギーをどんどん消失する。こんな人の特効薬！「放下着」。捨ててしまえっ。人生も、いつかは、全部捨てる。

3

ビクつかない

——知《ち》足《そく》（遺《ゆい》教《きよう》経《ぎよう》）

禅とは、「常に現状に満足する」こと

寒い日の運動会は、途中でつめたい雨になった。準備した仮装行列だけは、何とかやろう。わたしのクラスは、乞食《こつじき》の行列で、主任の私は、板の上に乗せられ、はだかに墨を塗られて、そぼ降るつめたい雨の中を一周した。すぐ、発熱。すでに風邪気味だったので、胸膜炎を併発、六ヶ月入院となった。

退院後でも、半年は、家庭療養。すっかり体力がなくなった。眠れない。また、再発するのではないか。もっと心配なのは、こんなに弱ってしまって、果たして、教壇に立って、もとのように、元気に授業が出来るか、どうか。眠れない日がつづいて、ますます体力が減る。

わたしは、安谷老師に相談した。その第一声が、「バカ者っ」だった。

「お前は、なぜ、治ったことに感謝しないで、半年先のことばかり、心配をして、ビクつくのかっ。禅語に、『**知足**』（知るを足る）があるだろう。禅とは、常にいまある自分の現状に満足し、感謝することだ。病気が治ってよかったと思えっ」

4

いつも「笑顔」を絶やさない

——微笑《みしょう》（天聖広灯録《てんしょうこうとうろく》）

笑いが人を健康にする理由

いま、よく、笑いが大事だ。笑いがいちばんだ。と、いわれる。みんなで、楽しいことをして、声をそろえて、大笑いする。ちょっぴり酒をくみかわしながら、肩を組んで、高笑いする。笑いこそ、人を健康にし、笑いこそ、人生の幸福をつかさどる。が、ちょっと、細かく考えると、笑いにも、いろいろある。「苦笑い」もある。「薄笑い」もある。「忍び笑い」もある。「作り笑い」もある。「独り笑い」もある。

「微笑」。禅では、「みしょう」という。やさしくニッコリほほえむ、ことだ。ほほえむ。これは、そのときだけではない。その場だけでもない。常に、大きな心を持って、海のような、山のような心で、ほほえんでいる。子どもが、山盛りの菓子をパクついていても、「もうやめなさいっ」と思ったら、ほほえみは消える。「おかげさまで、元気によく食べてくれる」と感謝すれば、ほほえみが生まれる。お釈迦《しゃか》さまも、この「微笑」を、大切にした。どんな人とも、ほほえんで交際することは大いにむずかしい。が、ほほえむことを、毎日の糧として、暗い心を明るくしていく。

5

大きな声を出してみる

——喝《かつ》(臨済録《りんざいろく》)

「カーッ」と叫べば、不安だって吹き飛ぶ

どんなに、禅語に関心のなかった人も、この「カーッ」という喝破《かっぱ》の大声は知っている。自分の心の中に渦巻いている悩みや不安を捨てきる力を、簡単にだれもが持てるわけではない。なんとか、捨てきる力を身につけたい。

そんなとき、唐代の高僧、臨済は、腹の底から、「喝」（カーッ）と大声で叫んだ。そして、自分の中に巣食っている抱えきれない人生の悩みを、吹っ飛ばした。

一つの会社に長く勤めていると、嫌な気持ちや思い出が、入り混じってくる。また、将来に対しても、この会社がどうなってしまうのか、そんなことが、妙に気にかかってくる。あなたが個人で過去を悔いても、また、将来を心配しても、会社の運命には、まったく関係しない。それなのに、一人相撲をして、疲れ果てる。

上司と衝突することもある。同僚の意地悪にも出会う。たまには、のしかかるプレッシャーを、「カーッ」と叫んで、吹き飛ばす。

6

物事のいいところをひとつ見つける

——一花《いっか》開いて世界《せかい》起《お》る（碧巌録）

「一筋の光明」さえあれば、人生は楽しくなる

わたしが、昔、勤めた高校は、キリスト教、いわゆるミッション・スクールであった。いいとか、悪いとか、の問題ではなかった。合う合わない。好き嫌いのことだったのかも知れない。とにかくわたしは、キリスト教徒にはならず、円覚寺で坐禅を組んでいた。悪いのは、わたし自身である。キリスト教の学校に勤めたら、キリストを信仰するのが筋というものだ。でも、縁あって、わたしは、禅宗を改宗できなかった。

今日では、キリスト教が、禅を見直して、神父さんや信者さんの方で、坐禅を組む人を、けっこう見かけるようになった。が、当時は、水と油であった。

やはり、異教徒には、いざとなると厳しかった。誤解されたことは、数えればきりがない。キリスト教信者の先生と同じ悪さをしても、わたしだけが叱責された。毎日のように、辞めようと思いつつ、重い足を運んだ。が、やがて勤めが楽しくなった。**「一花開いて世界起る」**。たった一つの花で、明るい春の世界になる。学校の生徒が、いい青年ばかりだった。毎授業が楽しい。その一筋の光明で、明るくなった。

7 ゆっくりと合掌する

——世《せ》間《けん》禅《ぜん》（解《げ》脱《だつ》道《どう》論《ろん》）

嫌なことを吹き飛ばす、いちばん簡単な方法

禅といえば、坐禅だ。じゃ、坐禅を組んでみようか。といったところで、どこに行ったらいいのか、とんと、わからない。

たとえば、円覚寺へ行って、「こんにちは、坐禅を組ませてください」と頼んだところで、「ハイハイ、どうぞ」と、気軽にいってはくれない。あなたの近所でも坐禅を教えてくれる寺は、ないだろう。

禅宗のお寺が、簡単に「ハイハイ、どうぞ」といわないのは、坐禅は、一日や二日、一年や二年坐ったとて、なかなか、思うようにいかないからだ。

じゃ、一般の人は、「禅」には縁がないのか、ということになる。

「世間禅」という禅語がある。何も、坐禅を組まなくとも、禅は、わかる。一般の人が、日常生活を送るとき、損をしたり、面子を汚されたり、無礼なことをいわれたりして、落ち込みそうになったとき、「なあーに、オレのいのちは大宇宙だ」と合掌して、嫌なことをフッと吹き飛ばせば、それが、禅なのだ。

8

自分から「壁」をつくらない

——邪魔《じやま》（相応部経典《そうおうぶきようてん》）

疲れは、あなたを孤立させる「悪魔」だ

毎日、毎日、忙しくて、土日さえ、仕事に追われてしまうと、休むひまなく、「疲れ」が、噴出する。いくら疲れても、土曜日でも、日曜日でも、連休ではなく一日でも、ホッと休めば、疲れもとれるし、イライラもなくなる。

この「疲れ」も、神経労働となると、イライラだけではなく、すごく不安になってくる。まわりが見えなくなって、ものごとが、健康的に考えられなくなってくる。神経的な「疲れ」は、なかなか、とれにくい。自分では、正常だと思っているのに、人から世話になるのが、おっくうになったり、やさしくされても、受け入れられなくなったり、愛されることさえ、嫌になって、孤立する。

孤独になったと嘆くが、実は、疲れで自分を自身で孤立させている場合が、何と、多いことか。自分で、壁をつくってしまう。その壁を、禅語で**「邪魔」**という。他人の愛や、思いやりや、同情を受けとりにくくする「邪魔」の心は、自分の肉体的、精神的な「疲れ」がつくる悪魔だ。そんなときは、一度、思い切って、身心を休める。

9

ゆるめすぎず、張りすぎず

——白雲片片《はくうんへんぺん》（五灯会元《ごとうえげん》）

「遊ぶときは徹底して遊ぶ」が禅の教え

ソーナというお釈迦さんの弟子は、それはまあ、厳しい修行をしていた。必死になって、坐禅ばかり組んでいたが、ある日、急にやる気を失って、もう、仏教の修行は、やめたい、と、釈迦に申し出た。

と、釈迦は、かれの前に琴をとり出して、こう告げた。「この琴の絃を、ゆるめておくと、いい音が出ないだろう。といってあまり強く張りすぎても、ピンピンとはねてしまって、やはり、いい音が出ない。ゆるめすぎず、張りすぎず、いい加減の張り方をすれば、美しい、楽しい音が出る。修行もあまり熱心すぎて、ヒステリックになってはいけませんよ」……と。

禅の生き方は、やるときはやるが、遊ぶときも徹底して遊ぶのが、いいとする。あくせくと働くことばかり考えず、大空を仰いで、白雲に「おーい」と声をかける時間を持つように……。**「白雲片片」**という禅語がある。白雲が、ポカポカ浮かんでいるのを、楽しめないような人生では、ことは、うまく、運ばない。

10 ひとりで山に登る

――孤峰頂上《こほうちょうじょう》(普灯録《ふとうろく》)

心が折れそうなときこそ……

孤独で、心が折れそうになる。今までは、人からの信頼をうけ、人間関係のテクニックもうまくこなしてきた。が、ふとした出来事で、人生を踏みはずし、孤独になった。しかし、けっして、心を折ってはならぬ。折れそうになるのはいいとして、けっして、折ってはならない。

人は、ひとりぼっちになったとき、はじめて、世の中の栄光のはかなさを、知るのである。身にあまるような偉大な名誉も、ちょっとしたセクハラの醜聞《しゅうぶん》で、消える。手にあまる大きな財産を持てば、相続税で四苦八苦する。たまには孤独になって、悔やまず、平然として、世の中を見直すことが、肝心だ。

「孤峰頂上」とは、きわだってそびえる山の頂きのこと。世間と隔絶して、ひとり山上に登って、月や雲を友として、下界にひろがる世間をしみじみと観察してみる。今まで、自分の身にまとわりついていた一切の世間的価値観の、いかにつまらないかに気づくであろう。孤独、孤高のときこそ、世俗を超越して、強剛《きょうごう》に生き抜く。

11

積極的に外出する

——山光我《さんこうわ》が心《こころ》を澄《す》ましむ（禅林類聚《ぜんりんるいじゅう》）

孤独になったら……

なぜ、人は、山へ登るのだろう。なぜ、なぜ、なぜ。それは、わからない。わからなくて、いいのだ。そんなことを問いかけては、いけない。人は、ただ、山の中にいたいのだ。

春は、わかい緑の風に、桜が美しい。夏は、深い緑の中で、セミがしんしんと鳴く。秋は、かがやく紅葉が、山裾ながくなだれる。冬は、息もつけない静けさの森に、雪が、舞う。

「山光我が心を澄ましむ」。

「山光」とは、雄大な山の景色である。この美しい山水を静かに眺めていると、だんだん、自分と自然が一体になってくる。そして、知らず知らずのうちに、自分の心が、澄んでくる。さらに、世の中のさまざまの束縛から解放された青春時代の、イキイキした精神が再生してくる。

孤独になったら、家に閉じこもらないで山光に当たって、輝くことだ。

12 谷川のせせらぎを聞く

――水声清《すいせいきよ》し（禅林句集《ぜんりんくしゅう》）

水は清き心のふるさと

「わあっ、雨が降ってる！」

晴れた日がつづいたあと、にわかに、雨が降り出すと、兄弟みんなで、ガラス窓に顔をつけ、鼻まで押しつけて、「わあっ。雨だ、雨だ」と、喜んだ。

子どもの頃、雨が降るたんびに、「雨だっ」と心に叫んで、わくわくした。そして、雨の音を、みんなで、聞いていた。聞くともなしに、みんなで、静かに聞いていた。

さっきまで、部屋の中で、座布団をぶっつけ合って、わいわい騒いでいたのに、雨の音で、急に静かになった。

青年になって、山小屋へ入ると、いつも石に腰をかけて、谷川のせせらぎを聞いた。水は、絶えず流れ去ってしまうのに、せせらぎの音は、いつもわたしを離れなかった。

「水声清し」。

水は清き心のふるさと。

自分の完成の過程に、いつも、せせらぎが、ある。

13 思いがけない熱烈な人生が……

——刻苦光明《こくくこうみよう》（禅関策進《ぜんかんさくしん》）

苦悩のあまり、自殺を決意！　しかし……

ベートーベン（一七七〇－一八二七）という名を聞けば、あの「第九」を作曲した偉大な芸術家と思う。たぶん、豊かな家庭に生まれ育って、子どもの頃から、よき師にめぐまれて、音楽の勉強をしたのであろう……と錯覚する。

とんでもない。ベートーベンは、生まれてから死ぬまで、苦難つづきの一生を送った。父は、大酒飲みで、わがまま放題。ベートーベンは四歳の頃から、オルガンひきとなり、貴族の家で演奏して、わずかな給金を得て、ほそぼそと一家をささえていた。幸いにも、ハイドンにみとめられ、作曲家となった。が、四十歳で耳がまったく聞こえなくなった。かれは、苦悩のあまり、いく度も自殺を決意している。貧困ゆえ、結婚も出来なかった。しかしかれは、次々襲いかかってくる苦悩を突き抜けて、世界に誇る名作を生んだ。かれの作品に触れると、だれもが、生命の深い歓喜を、おぼえる。

「刻苦光明」。苦しみから逃げてはいけない。苦しみの中で、勇気をふるい起こす。自分を信じて努力しつづければ、思いがけない熱烈な人生が展開してくる。

14

今日をクヨクヨ生きるを、嫌う

——処処全真《しょしょぜんしん》（碧巌録）

うまくいってもいい。うまくいかなくてもいい。

明日ありと思う心のあだ桜
夜半《よわ》に嵐の吹かぬものかは

親鸞《しんらん》（一一七三－一二六二）の作と伝えられている。明日見ようと明日ばかりを頼りにして、今日の桜を見ようとしないと、夜半に嵐が吹いて、桜が散ってしまったよ。

わたしたち現代人は、とかく「ガンになったら、どうしようか」「死んだらどうしようか」と、いたずらに未来のことを心配しすぎはしまいか。仕事にしても、未来に、いい結果ばかりを期待しすぎて、今日の行動に、決断が出来ない。

禅は、未来を心配をして、今日をくよくよ生きることを、徹底的に、嫌う。今日を晴れ晴れと、生活する。未来は、うまくいこうが、まずくいこうが、それが、自分にとって、いちばんいい結果と受けとる。出た結果は、すべて真実の姿としてありがたく受けとる。これが**「処処全真」**である。うまくいっても、いい。うまくいかなくても大丈夫。その失敗をもとにして、必ず、決起するから……。

15

八方ふさがりのときは、腹の底から怒鳴ってみる

――銀山鉄壁《ぎんざんてっぺき》（碧巌録）

「ありがとう」の一語が、ピンチを救う

朝顔の花が、美しく、大きくひらく。朝日をあびて咲く朝顔も、光だけでは、咲けない。一晩中、暗やみの中で、つめたい夜露にぬれてこそ、花がひらくのだ。人生も、つらい失敗をして、苦しみ悩んで、はじめて成功するのだ……。と、こんな話を聞いて、自分の失敗や苦悩も、自分の成功のためにあったのだ。よし、また、明日から頑張るぞっと、すぐ、新しい一歩が出せるなら、それは、けっこうなことだ。

どっこい、なかなか、そうはいかない。たとえ、足を一歩出そうと思っても、足どころか、手も出ない。むかむかと腹は立ってくる。食欲がない。ねむれない。体がふるえる。汗が出る。目まいがする。死んだ方が、ましだと思う。

「銀山鉄壁」。銀も鉄もゴツゴツ堅い。銀と鉄が、そそり立っている壁のような山。一歩も登れない。という禅語だ。八方ふさがり。何と思っても、手足が動かない。こんなときだ。天を仰ぎ、大地に向かって、海を望んで、大声で腹の底から、「ありがとう」と叫べ。怒鳴れ！「ありがとう」の一語が、大ピンチを乗り切る、禅の武器だ。

6章

生まれてきてよかったと思える「一日禅語」

――〝いい気持ち〟で生きていく

1 いつでも「何とかなる」と思う

――涅槃妙心《ねはんみょうしん》（無門関《むもんかん》）

運命を信じる者に、未来は開ける

ものごとは、「出来る」と思うか、「出来ない」と思うか、この二つしかない。「出来る」という信念を持ってやれば、けっこうできるようになる。「出来ない」という不安を持ってやれば、だんだん、嫌な方向へ落ち込んでいく。

いつでも、「何とかなるさ」と、楽観的に思っている人には、どんどん明るい側面が表れる。「どうにもならん」と、悲観ばかりしている人に、成功者はいない。仕事の成果というものは、毎日の生活の中で、自分がどんな心で生きているかにかかっていることを、忘れてはならぬ。えッ、馬鹿な、そんなことがあるもんか、心持ちでなんか結果は出ない……と、運命を信じない生き方を、禅は嫌う。

「涅槃妙心」。釈迦《しやか》の言葉である。涅槃妙心とは、わたしたち一人一人の中に生きている、わずらわない、こだわらない宇宙の生命である。この根本のいのちは、わたしたちの自分の心ひとつで、すばらしい働きをし始める。出来るも出来ないも、自分の心ひとつだ。

2

「自分の中にいる仏さま」をイメージする

——如来蔵《にょらいぞう》（如来蔵経《にょらいぞうきょう》）

「自分のいのち」は自分だけのものではない

あなたは、あなたを、人間だと思っている。が、禅では、あなたを、仏さまだというのである。自分が、ほんとうに仏さまだと自覚できたら、もう、何の修行もしなくてよい。

そこで、いちばん注意しなくてはいけないこと。それは、仏とは、死んだ人の霊ではない。仏を死んだ人と思って、仏教の修行をしても、それは、「南のかなたに、北極星を求めるようなもので、むなしい」と、道元も、いっている。

仏の本意とは、三千大千世界（大宇宙）の、ありとあらゆるものを動かしている大きな生命である。この生命は、昔から、ある。もちろん、いまも活動しているし、永遠の未来に渡って、生きつづける。

「如来蔵」とは、あなたの全身のどこにも、如来（仏と同義）の生命が働いている、という意味だ。大自然の生命が働いている、という意味だ。あなたは人間だ。と、同時に、仏だ。他人に傷つけられても、くよくよしない。

3 自分の内面と対話する

——無依《むえ》の道人《どうにん》(臨済録《りんざいろく》)

孤独は自立するための必修課題

人はだれでも、一度は、ひとりぼっちになった方が、いい。いや、ほんとうに自立した人に成長したいなら、孤独は、必修の課題である。

孤独な生活を送る。と、他人と話すことさえできなくなる。話し相手は、自分である。自分と自分の内面が、対話する。この時間が、まことに貴重なのだ。今までは、何かと他人によりすがり、甘えていた自分。大勢の中で、みんなに流されて、自分とは、何かが、まったくつかめないで、ふらふらしていた自分。そのくせ、自分は、だれよりも強く、尊いと錯覚していた自分。

坐禅とは、足をからめ、手を結び、目を半眼にし、または、つぶって、絶対に動けない、孤独の自分を味わう時間である。助けてくれる人は、だれも、いない。裂けて散るような足の痛さは、自分でしか耐えられない。

臨済は、弟子たちに、**「無依の道人」**になれ！　と力説した。他人に頼らず、自分自身の道を、たとえ、細い道であっても、自立して歩め……と。

4 見栄を張らない

――般若《はんにゃ》（般若心経《はんにゃしんぎょう》）

分不相応な見栄は、自分を滅ぼす

この世には、昔から、いろいろな考えがある。いろいろな判断がある。

あなたが、いま悩みごとがあって、深く落ち込んでいるとき、どんな考え方をすれば、自分の人生が上向きになって、明るく元気になれるか。また、どんな考え方をすると、ますます落ち込んで、暗い連鎖にはめられて、動けなくなってしまうか。

「T大が、いちばんいい大学だ」「T大に入らなくてはいけない」この考えに振り回されて、一浪・二浪・三浪……。親も子も、T大でなければ大学ではない、といい切って、五浪までして人生を失った人が、いる。浪人してもT大……の考えは、能力のある人にとっては、適当であっても、能力の劣る人には、悪魔の働きをする。

「般若」という禅語がある。これは、人を明るく伸びる方向へ導く知恵、という意味を持つ。「般若」の知恵が、もっとも嫌うのは、すさまじい見栄である。自分の実力以上の見栄を持つと、いつか、崩れる。人の評価に合わせようと見栄を張り過ぎると、自分をとことん、失っていく。

5

「世間体」を気にしない

——退歩《たいほ》（普勧坐禅儀《ふかんざぜんぎ》）

「人に笑われたくない」と思うから、しんどくなる

「成績なんて、どうでもいいの。健康に育てば、それで十分よ」と、町中で、奥さん同士で明るく話していたのに、家に帰って、子供がもらってきた成績表を見るや、「まあ、どうして、今学期は、こんなに成績が落ちたの。あんなにいい塾へ通わせてあげたのに……」お月謝も高い、いい塾へ通わせたのに、成績を落とす子は、世間体が悪いのだ。子供の将来も心配だが、それよりもっと、「世間体」が、悪い。

自分は、大学も就職も、自分のためばかりだと思ったが、心の底には、世間体という魔物がうごめいていた。世間体を気にしないように振る舞ってはいても、どこかで、世間からバカにされないように……。世間から笑われないようにと思っている。が、実のところ、世間体という価値基準が、どこかにあるわけではない。

いちいち世間体を気にして生きることを、禅では、嫌う。**「退歩」**して生きるとは、世間体から退いて、自分自身の価値基準をしっかり持って、自律的に生きていくことである。世間体を気にして、自分を萎縮《いしゅく》させて生きていると、いつまでも自立できない。

6 ネガティブな気持ちを捨てる

——独坐《どくざ》大雄峯《だいゆうほう》（碧巌録《へきがんろく》）

「ありのままの自分」で大丈夫

「教師として、遅刻は許されません。授業開始の二十分前には、入るように」

わたしは、時間を守ることが、なぜか、嫌で、嫌で、たまらない。キッチリと時間に合わせて行動すると、何にもできなくなってしまう。困ったことだ。だらしのないことだ。でも、生まれつきだ。

「二十分前に入れ！」といくらいわれても、五分前か、三分前、早くて、十分前しか間に合わない。毎朝、校長と教育主任ににらまれる。だんだん自信がなくなって、学校へ行くのが、嫌になる。早く起きて、たった十五分早く行けばいいのに、かえって遅刻が気にかかって、妙に動けなくなってしまう。

「独坐大雄峯」。ひとりで天地いっぱいの大宇宙の山に坐り、オレは生きている……という百丈和尚の禅語である。歩いているときも、授業しているときも、心の中でこの禅語を叫ぶようにした。すると、遅刻をする自分はダメだというネガティブな気持ちが失せてきた。「オレはオレのままで大丈夫だ」。そのうち、遅刻しなくなった。

7

「世間への執着」を捨てる

——孤雲本無心《こうんもとむしん》(禅語句集《ぜんごくしゅう》)

すると、「本当の自分」が見えてくる

「孤雲本無心」。孤独の雲は、自由自在だ、という禅語だ。

青空たかく、どこまでも、どこまでも、澄みきっている空に、ポッカリとひとかたまりの雲が、ゆったりと、流れていく。

深い、深い、そして、何と喜びあふれる光景であろう。

ああ、世の中で、深く根を張れなくてよかった。世の中で、人とのかかわりに苦しみ、他人の評価に悩まされ、自分の思い通りには、ひとつもならなかった……。

ああ、いまは、自然を敬い、ひとりぼっちになって、あるがままに、自由自在に、行動できるように、なった。

「無心」とは、こだわりなく、自在に生きることであった。

こんなに、広い世界があったのか。何の心配を思いめぐらすことなく、今まで見えなかった自分の姿が、はっきり見える。あたりに振り回されて、今まで、自分の存在さえ、すっかり、忘れていたのに……。ひとりぼっちの雲よ……。万歳。

8

「当たり前のこと」こそありがたい

——眼横鼻直《がんのうびちょく》（永平広録《えいへいこうろく》）

だれもが「目は横、鼻は縦」の顔を持って生まれてくる理由

「眼横鼻直」。目が横に並び、鼻は、縦にまっすぐについている。だれも、かれも「眼横鼻直」の当たり前の顔を持っている。理想もなく、理屈もなく、見栄もなく、眼は横に、鼻は縦についているではないか。

道元禅師（一二〇〇－一二五三）は、禅を学ぶという、大きな志を持って、中国は宋へ渡って修行を重ねた。坐禅の修行に徹すれば徹するほど、禅の悟りは、きわめて日常的、まったく単純なところに、その真髄があることを自知した。

中国から帰国したとき、「禅の修行をして何を得たか」と問われた。道元は、「別にこれといって得たものはない。ただ『眼横鼻直』を悟った」……と。

眼は横の方がいい、鼻は横より縦の方がいい、と、理屈できめて、そうしたのではない。自然のありのままの力が、理屈抜きで、自分のためにつくってくれたものだ。口の中の歯並びも、耳の中の鼓膜も……。禅は、この当たり前のことが、当たり前にあるがままに働いていることを、まず深く低頭し感謝せよ、と教えてくれる。

9

昔のことを引きずらない

——其《そ》の心《こころ》を虚《むな》しくする（道徳経《どうとくきょう》）

いくら過去を嘆いても、現実は変わらない

おじいちゃんと、孫が、二人で大川の土手に坐っている。子どもの父が、交通事故で亡くなった。そのあと、子どもの母が、ガンで夫を追った。いま、子どもは、ひとり残って、おじいちゃんと、生きている。

父と母がこの世を去ったことは、悲しみにあまりある。しかし、過ぎ去ったことを、いくら嘆いても、現実は、どうにもならない。つらいが、おじいちゃんが元気だったことに、ほっとしよう。もし、おじいちゃんがいなかったら、子どもにとって、どんなに淋しい、つらいことになったであろうか。

おじいちゃんが、孫に、こっそりと話して、ニコッと笑った。孫は、おじいちゃんにすがって、ほほえむ。夕やけがすばらしいので、この上なく幸福そうであった。

「其の心を虚しくする」。その心を空《から》にする、の意味。老子の道徳経にある言葉。禅語としてよく用いる。いつまでも過去の不幸を抱くと、心の痛みがとれない。ひとつでもいい点を認めて、不幸を忘れよう。

10
いま、ここに生きていることが尊い

――天上天下唯我独尊《てんじょうてんげゆいがどくそん》（雲門録《うんもんろく》）

「本当の極楽」は、すぐそばにある

うっかりすると、けっこう多くの人が、死んだら天国というところか、極楽というところへ行きたい、と思っている。こんなにも、科学や学問がすすんできてさえ、まだ、うっすらと、死後の「いい世界」がある、と、勘違いをしている。

実は、わたし自身も、二十三歳のころから、ずーっと、死後の世界を何とか知ろうと、坐禅を組んできた。が、美しく安らかな死後の世界は、夢まぼろしであった。人が頭で描ける世界は、死後には、ない。足の痛い思いをして、約五十年も坐禅して悟ったことは、極楽の世界は、今日ここに生きている自分の生活そのものだった。

「天上天下唯我独尊」は、釈迦の名高い言葉で、禅語としても、貴重なものである。「天上天下」とは、この大世界。「唯我独尊」とは、自分が、いま、こうして生きていることが、何よりも、絶対に尊いことだ……という意味だ。仕事も会社も、うまくいけば、それに越したことはない。が、うまくいかなくったって、いま、ここに生きてさえいれば、それが、いちばん尊い。

11

「龍となる人」はコツコツ泳ぐ

――潜魚躍《せんぎょおど》る（宝鏡三昧《ほうきょうざんまい》）

孤独だから育つ能力もある

保育園で、幼稚園で、何でもかんでもみんなと仲よく、みんなと一緒にうまくやっていくことばかり、よく、教えてくれる。ポツンとひとりぼっちでいると、「さあ、みんなと一緒に遊ぼうね」といって、みんなのところへ、連れていかれる。

小学校も、中学校も、団体の中で生きる技術、コミュニケーションが重大視され、おたがいが、意志や感情をどう伝えるかを指導される。

人と人とが、協力し合って生きていくことは、すばらしいことだ。対人関係をうまくする能力は、ひじょうに大切だ。と同時に、対人関係がうまくいかなくて孤独になっても密かに目立たぬように、たとえ人には認められなくても、他人にできないことをコツコツやっていく能力も、とても、大事だ。

「潜魚躍る」。雪竇《せっちょう》和尚の言葉といわれている。「潜魚」とは、水中の奥の方でコツコツ一匹だけで泳いでいる魚。その魚が泳ぎながら力をいっぱいつけて、水面から飛びあがって、空中に泳ぐ……。そして終《つい》に、龍となる。

12
何ものにも執着しない

——籠頭《ろうとう》を脱却《だつきやく》す（碧巌録）

真の自由を知る――それが「悟り」の第一歩

いま、一般に、坐禅を組むというと、寺や会館で、五人、十人と大勢でする。釈迦や達磨は、ひとりで坐禅をして、大きな悟りを得ている。ひとりぼっちでする坐禅を、独接心という。

自分も、孤独に徹底するため、一ヶ月、静岡の山中の禅寺に入った。二十日ぐらい、この大寺院の本堂で、ひとりで坐禅を組んでいた……と、心の底から、にわかに、気がついた。「ああ、自分が、日常生活の中で、すごく価値のあることだと思っていたものは、あるにこしたことはないが、自分がそれに執着しすぎて、不自由で苦しい生活をしていたんだなあ……」、と。

「籠頭を脱却す」。碧巌録にある面白い禅語である。「籠頭」とは、馬の頭から頬にかけてある美しい組糸のことである。太くてとても綺麗な飾りものである。が、馬にとっては、こんなに不自由きわまりないものはない。それを「脱却」してやると、馬は喜んで、飛びはねる。孤独は、余計な見栄を捨てて、真の自由を得るときでもある。

13 自分の能力を過信しない

——増上慢《ぞうじょうまん》（倶舎論《くしゃろん》）

鏡のような自分の心に、自分を映してみる

小学生のころ、みんなより早く、みんなよりたくさん手をあげ、先生の質問に答えられた。ぼくは、頭がいいんだ。

中学生のときも、高校生のときも、みんなより、点数がよかった。大学生のときも専門教科は、みんなより群を抜いていた。常に、自分の鏡に映った自分ではなかった。他人とくらべて、「みんなより」も、自分は優秀であると、思い込んでいた。

学校で優秀だといわれ、自分もすっかりその気になって社会に出たとたん、はたと面子《メンツ》がつぶされる。みんなが、自分の才能をみとめない。何の役割も与えられない。田舎で感じる孤独よりも、たくさんの人にかこまれて感じる孤独の方が、つらい。

「みんなよりも」優秀だと、おごり高ぶる気持ちを、禅では「**増上慢**」といって、嫌う。「増上慢」を捨てて、謙虚になって仲間から学ぶ心を持てば、自分を追い込まないで済む。孤独になり、質素な生活をすると、心は澄みきって、月のように輝いてくるものだ。孤独を寂しがってばかりいないで、鏡のような自分の心に、自分を映してみる。

14

まったくわからなかった欠点が、見えてくる

——孤明歴々《こみょうれきれき》（臨済録）

自分を振り返ると、世界がひろがります

テレビドラマを見て、喜ぶ。映画を見て、悲しむ。小説を読んで、落ち込む。悲しい、悲しい恋愛のドラマを見て、本当に心を打たれ、深く、心に残ったとしても、たった一回、自分自身が、失恋の谷底へ落ち込んでしまったときの悔しさ、憤り、さびしさ、悲しさには、まるで及ばないであろう。苦しいといって、熱烈な恋が破綻したときの孤独感以上のものは、ない。

が、そのときに、まったくわからなかった自分の欠点が、はっきり、見えてくる。「オレは、ちょっとしつこいところがあるから、嫌われたんだな」「自分のしている仕事を、大げさに自慢しすぎたな」「オレは、ケチだったたからな」……。

禅語に**「孤明歴々」**がある。「孤明」とは、自分の光という意味だ。今までは、他人の光ばかりを頼りにしていた。が、人から拒否されてひとりぼっちになると、自分の光で自分を見られるようになる。孤独の中に、独自の光が「歴々」と清らかに自分に向かって輝く。そのとき、自分が、はじめて、自立するのだ。

15 他人の「恩恵」を自覚する

――万物一体《ばんぶついったい》（従容録《しょうようろく》）

みんな、同じ「宇宙の生命」でつながっている

孤独は、尊い。といっても、よくよく考えてみる。どう考えたところで、人は、自分だけの力では、生き抜くことは、出来ない。

この世に生まれるのにも、一人では生まれてこれなかった。ここまで、育ってきたのも、一人では成長できなかった。実に、たくさんの人のお世話になって、今日、このときを生きている。

わいわい、みんなでからみあって忙しく生きていると、おたがいに、みんなの世話になって生きているという実感が、なかなかつかめない。うっかりすると、おたがいが仇《かたき》同士のようになって、競い争ってしまう。禅が、孤独の修行を尊いとするのは、孤独になりきると、かえって、世間や他人の恩恵が自覚されてくる、という点なのだ。

「万物一体」は、南泉《なんせん》和尚と景山の問答にある禅語だ。**「万物」**。つまり、この世界に生きている生物は、その姿も能力も千差万別である。が、**「一体」**あらゆる生物は、自然と同じ宇宙の大生命ひとつで生きている。これが禅の世界観だ。

7章

夜、ぐっすり眠るための「一日禅語」

――「幸せへの道」は、すぐそばにある！

1 恐れない

——無畏《むい》（毘婆沙論《びばしゃろん》）

「悩み」や「恐れ」は自分で勝手につくったもの

飛行機は、嫌だ。飛行機は、こわい。でも、どうしても、乗らなくては、ならない。いよいよ、明日、乗る。乗るとなると、もはや前夜より、おだやかでない。

また、その頃、世界中の飛行機の事故が、相次いだ。ほとんどが、全滅。そんなニュースを見てから飛行場に着くと、とたんに、手のひらに、汗が湧く。心臓もハタハタと、ときめく。青い顔で、何とか席についた。が、逃げ出したい。

いよいよ、離陸。でっかい翼が、鳥の羽根のように、バタバタ揺れる。雲の峰に、ひっかかったのだ。「落ちるのか?」そのとき、客室乗務員が、「揺れても、一切、飛行には影響ありません」と、仏さまのような笑顔だ。ちょっと、待てよ。女性の乗務員の方も、お客の安心のために、がんばっている。パイロットも、安全飛行に、最善を尽くしている。ごくろうなことだ。ありがとうと、合掌。とたんに、恐怖がさめる。

「無畏」とは、恐れない、という禅語だ。悩みや恐れは、自分で勝手につくっている。何ものにも恐れぬ心は、感謝の合掌から生まれる。

2

〝毒〟の正体を見極める

――貪《とん》・瞋《じん》・痴《ち》・慢《まん》（往生拾因《おうじょうじゅういん》）

この四つにさえ気をつければ、人生は上出来

近代和風のあたらしく、素敵な家を見る。わあ、あんな家に住みたい。乗り心地のよさそうで、かっこいい新車を見ると、わあ、あんな車に乗りたい。何を見ても、金がないくせに、欲しい、欲しい。酒を飲んでも、もっと、もっと。これが「貪」。

ちょっとしたことで、気にくわないと、全身をもって、怒る。一度、怒ると、止まらない。次から、次と不愉快になって、怒鳴り散らしたくなる。これが「瞋」。

もっと勉強しとけば、よかった。もっと運動しとけば、よかった。もっと、金を貯めておけばよかった。今さらいっても、取り返せないのに、グチをいうのが「痴」。

このオレに対して、あれは無礼な態度だ。オレはすごい仕事をしているのに、あいつは、そのことを、てんで認めない。ちょっと、いい結果を出すと、すぐおごって、人をけなしはじめる。これが「慢」。

「貪」「瞋」「痴」「慢」。禅では、この四つが毒となって、あなたを苦しみの海に沈める……という。この四毒を克服すれば、安心してぐっすり休める。

3

「過ぎること」ほど恐ろしいものはない

——白拈賊《びゃくねんぞく》（碧巌録《へきがんろく》）

何事もほどほどに、これが鉄則

ある程度の欲は、いい。が、「**貪欲**」、むさぼる欲は、害になる。子どもをやさしく怒るくらいならいいが、「**瞋恚**《しんい》」、つまり激怒はいけない。軽くグチをこぼすのはいいが、いい出したら一向に止まらない「**痴頑**《ちがん》」は困る。ニコニコ笑いながら、ちょっぴり鼻を高くするくらいの自慢はけっこうだが、「**慢罵**《まんば》」、おごりののしるのは、厳禁だ。

貪欲・瞋恚・痴頑・慢罵の心をそのままほっておくと、ますます増加をして、ついには、自分に襲いかかり、精神にも肉体にも、多大の害を与えるようになる。

「**白拈賊**」。これは、雪峰《せっぽう》（八二二－九〇八）の禅語である。「白」とは、昼間、「拈」とは、「ひねる」「つまむ」の意味、「賊」とは、盗賊とかスリのこと。つまり、「白拈賊」とは、昼間にこっそり盗みを働くスリである。

臨済《りんざい》和尚は、人の「貪・瞋・痴・慢」の邪念を、目にもとまらない早さで盗みとって、みなを大機大用の人に育てたので、雪峰が、臨済を「白昼盗賊」と称讃した。禅僧は、痛棒で人を打って「貪・瞋・痴・慢」の妄念をとってくれる。

4

自分を追いつめない

――無著《むじゃく》（伝心法要《でんしんほうよう》）

「一晩や二晩、眠らなくたってへっちゃらだ」

こちらが、よく眠れないのに、隣りでは、グウグウうるさく寝ている。まったく、腹が立つ。そのうち、眠れない自分が悩みだす。どうして、オレは眠れないのか。と。

いま、グウグウ寝ている人も、いつかは、眠れない夜を迎える。眠れないのは、わたしだけじゃない。だれでも、一生のうち、どこかで経験することだ。それを、自分だけが一生眠れないと思い込んで、早く寝よう。早く寝付こうとする。これがいけない。寝なくてはいけない、と、寝ることにとっつくのが、よくなかった。

若い頃、わたしも、よく寝られなかった。ひつじを数えるといい、と、いわれた。二千五十四匹まで数えたら、ますます目が覚めた。知人の医者に、こういわれた。「一晩や二晩寝なくたって、平気だ。寝なくちゃいけないと思うから、いけないんだよ。寝なくてもへっちゃらだと思えば、いいんだ」

「無著」とは、とらわれをなくせ、という意味。寝ることから離れないと、みだりに迷いだす。「寝なくてもへっちゃらだ」――。すると、ほっとする。

5 人に求めない

――無事《ぶじ》是貴人《これきにん》（臨済録《りんざいろく》）

〝ふさわしい役目〟は変化する

わたしは、駅伝の選手にあこがれ、中高時代は、エンジのランニングシャツを着て、走り回っていた。つらかった。が、いくら汗をかいても、心地よかった。自分の心の底には、こんな気持ちがあった。「このチームは、オレがいなくてはだめだ」。わたしは、坂道が得意だった。けわしい上りと下りのあるコースは、自分の役目だった。

早大の陸上部に入ったとたん、自分の役目が、なくなった。自分より坂道の強い選手が、全国からアリのように集まっていた。今までは、たすきを渡す人がいたから、張り合って、頑張れた。もうだめだ。役割がなくなったら、ぜんぜん走れない。

退部した。何にもすることがない。孤独だった。

その頃、禅僧からこの言葉を教えてもらった。**「無事是貴人」**（臨済の言葉）。無事とは、人に求めない、ということだ。今まで、自分は、たすきを渡す友だちがいたから、頑張れた。つまり、友だちから力をもらって生きていた。それはそれでありがたいことだが、役目が終わって一人になったら、自分一人で生きる。

6

「トップに立とう」としない

——一滴水《いってきすい》（碧巌録）

若いうちから張り切りすぎるな

スタートラインを飛び出すと、とにかく、トップを切って走りたかった。後ろに、だれかが追いついてくると、気になって仕方がない。スピードをあげて、ぐんと追い越した。が、コースの中程を過ぎると、胸が苦しく、足も上がらなくなる。スピードが落ちると、後続のランナーが、すいすい抜いていく。抜かれるたびに、気力が落ち、横腹がぎゅっと痛み出す。途中棄権となった。トップに立とうと、無理がたたった。

何度か、そんな失敗をした。こう考えた。ボチボチ、最後まで走ろう。スタートは、やや波に乗って走る。だんだんスピードを落として、胸がドキドキしないように、ゆっくりした自分のペースで走っていく。後半になると、前をつっ走っていた人が疲れてくる。そこを、ボチボチと抜いていく。

人生、先を急いで若いうちからあんまり張り切りすぎると、途中で挫折する。禅語の**「一滴水」**とは、ポトンポトンと流れ落ちるしずくのことである。ポトンポトン……。でも、水は、いつか石に穴をあける。ボチボチ、いつまでもが、禅の生き方だ。

7

水面に映った月を見つめる

――水中《すいちゅう》の月《つき》（正法眼蔵《しょうぼうげんぞう》）

あなたは、けっしてひとりぼっちではない

裏山を登って、頂上近くの小さな池に、十五夜の月が、静かにくっきりと映っているのを見つけて、ハッと、おどろいた。この美しい月の姿は、大きい池にも、小さい池にも、丸い池にも、四角の池にも、町中の池にも、里の池にも、山の池にも、そして、大小いろいろの田んぼにも、その場所と時に応じて、まったく、同じ形で輝いている。三千大千世界、つまり、宇宙の大生命（これを、仏性という）は、老人にも、成人にも、子どもにも、赤ちゃんにも、その人に効果的な力に身を変化させて、滔滔と広大に、活動している。その力は、けっして、目には見えない。あれした、これした、とも、いわぬ。

「水中の月」。坐禅をして、自分の中に、大自然の月（いのち）が働いていることを、悟る。自分の中に、三千大千世界（大宇宙）の生命が、しっかりと波打っていることを見つめる。自分だけで生きていると思うと、不安になってしまうが、宇宙から無条件で守られていることに気づくと、楽になる。

8

幸せは「モノ」から離れると見えてくる

——体露《たいろ》金風《きんぷう》（碧巌録）

見栄や欲望にさえとらわれなければ、人生は楽しい

乞食《こつじき》の生活が、ギリギリ最下級の生活をしていながら、みんな明るく仲がよいことは、すばらしい。

乞食の生活を送った名僧、桃水《とうすい》（一六一二―一六八三）は、次の詩を作る。

飢餐渇飲《きさんかついん》　只《た》だ吾《わ》れ識《し》るのみ、世上の是非、総《そう》に干《あず》からず

「飢餐」とは、飢えたら食べる。「渇飲」とは、のどがかわいたら飲む。「只だ吾れ識るのみ」、それくらいのことは、自分で出来る。乞食の生活のすばらしい点は、「世上の是非、総に干からず」世間で、いいだの悪いだの、何といわれようとも、そんなことに、まったく、こだわらないことだ。かれは、お金はまったく持たず、自然を友に、詩を詠み、天和三年九月十九日、坐禅を組んだまま、悠然と遷化《せんげ》した。

「体露金風」。雲門《うんもん》和尚の禅語である。「体露」とは、生まれたままの裸。「金風」とは、気持ちのよい風。世間にうずまく、見栄や欲望を捨てて、生まれたままの赤ん坊のような赤裸裸な気持ちで生きれば、人生は楽しい……の意味だ。

9

今日出来ることは、今日する

――莫妄想《まくもうぞう》（伝灯録《でんとうろく》）

努力してもダメなときはダメなのだ

世の中は　かくこそありけれ　花ざかり
山嵐吹いて　春雨ぞふる

まあ、何と、今年の桜の花は、美しい。みごとではないか。みんなが桜の花に見とれて、酒を飲み、だんごを食べて喜び勇んでいると、つと、山の方から風が吹いてきたかと思うや、春雨がざあざあ降ってきて、花びらを飛ばしてしまう。世の中も、まったくその通りで、いつまでもいいことは続かないぞ……と。頓阿《とんあ》法師（一二八九―一三七二）の歌である。未来に何かいいことがあるように、と、真剣に明日を頼みにしてはいけない。ちょっとしたことで、未来は変わる。いくら努力したって、ダメなときは、ダメなのだ。このことを、しっかり心に秘めて、今日を生きていくのが、禅の生きる道だ。**「莫妄想」**。妄想することなかれ。妄想とは、いたずらに将来を空想して、ああじゃない、こうじゃないと、「明日」にばかり心を奪われて、悩み苦しむことをいう。明日は、明日の風が吹く。未来への誇大妄想は、自分を弱める。

10 坐禅堂で香りを楽しむ

——香衣《かおりころも》に満《み》つ（虚堂録《きどうろく》）

あなたを楽しませてくれる「仏さまのお使い」

玄関のすぐそばに、大きい金木犀《きんもくせい》の木がある。秋になると、いっぱい日をあびて、黄色のたくさんの小花が、いっせいに、芳《かぐわ》しい香りを放つ。

人にバカにされ、苦しく渋い気持ちで、重たい足をひきずって、玄関にたどりつくや、これはまた、すばらしい香りが、胸の中まで入ってくる。自分の心が、香りの中に、パーッと広がる。バカにされた劣等感が、あっという間に、吹き飛ぶ。

坐禅堂で坐っていると、どこからともなく、かぐわしい香りが、ただよってくる。無理にかごうとしなくても、いつの間にかすがすがしくなって、心がすっかり安らかになっていく。わたしは、寝る前に、香をたきしめて、心をなごませる。ときどき、ハーブの香りにも、親しむ。

「香衣に満つ」という、禅語がある。花が咲いている野原の道を、歩いて帰ってきた。おやっ、いつの間にか、花の香りが衣に満ちあふれているではないか。花の香りは、仏さまのお使いだといわれる。香りに包まれて、深く安息する。

11

人生の「名人」になる

――楽《たの》しみを以《もっ》て憂《うれ》いを忘《わす》る（伝習録《でんしゅうろく》）

ちいさな「楽しみ」を見つけるトレーニング

「死んだつもりで、生きればいい」。そうすれば、一切の悩みから解放されて、ゆったりするかも知れない。が、禅僧ならともかく、毎日毎日、死んだふりをして生きるのも、つらい。ほかに、安心して生きる方法は、ないのか。

それは、上手に、楽しみを見つけて、生きることだ。山の近くに住んだら、山の美しい姿を見て、楽しむ。海のそばに住んだら、滄海《そうかい》のすばらしい趣きを眺めて、楽しむ。もっと身近に、おいしい菓子を食べて楽しみ、ふと、うつくしい花を見つけて楽しみ、ぴったり似合ったセーターを買って楽しみ、他人に喜んでもらって楽しみ、子どものころからのたくさんの楽しんだ日々を、静かに思い浮かべる。

床に入って、安らかでないときは、昔の楽しかったときを、思い出すだけで、クヨクヨしている自分を忘れられる。

「楽しみを以て憂いを忘る」。これは、王陽明《おうようめい》（一四七二－一五二九）の言葉であるが、禅でも尊ぶ。人生の名人は、人生をいつもうまく楽しんで、苦悩を離脱する。

12

人生は「安心」と「不安」の連続、と心得て生きる

——道環《どうかん》（宏智広録《わんしこうろく》）

一度、悟りを開いたくらいで何がわかる？

「うまくいかない」くらいで、人生、しょぼくれてはいけない。「うまくいかないときもあれば、うまくいくときも、必ず、ある」。これが、人生だ。

「先が読めない」くらいで、人生、自信を失ってはいけない。「先が読めないときもあれば、先が読めるときも、ある」。これが、人生だ。

それなのに、「うまくいく」ことだけを期待し、「前が読める」ときだけが、人生だと思うのは、禅の考え方からすると、まったくの間違いだ。

二、三年坐禅をくんで、天地がバクハツするようなすごい悟りを得たなんて喜んでいると、すぐ後ろから、ガツンと不安が襲いかかる。一回悟って大安心したからといって、それが、いつまで続くと思ったら、大間違いだ。悟って、悩み、悩んで、また、悟る。このくり返しをつづけるのである。禅ではこれを「道環」という。道元の禅語だ。環とは、玉がすき間なくつらなっているという意味だ。人生は、まさに、安心と不安心の玉で、どこまでも、つらなる。

本書は、本文庫のために書き下ろされたものです。

境野勝悟（さかいの・かつのり）

一九三二年、横浜生まれ。早稲田大学教育学部国語国文学科卒。

私立栄光学園で一八年教鞭をとる。在職中、参禅、茶道を専修するかたわら、イギリス、フランス、ドイツなど西欧諸国の教育事情を視察、わが国の教育との比較研究を重ねる。

一九七三年、神奈川県大磯にこころの塾「道塾」を開設。一九七五年、駒沢大学大学院・禅学特殊研究科博士課程修了。

各地で講演会を開催。経営者、ビジネスマンから主婦層に至るまで幅広く人気がある。

著書に、ベストセラーとなった『*道元「禅」の言葉』をはじめ、『*老子・荘子の言葉100選』『今すぐ使える！　やさしい「論語」』（以上、三笠書房刊、＊印《知的生きかた文庫》）『方丈記・徒然草に学ぶ人間学』（致知出版社）など、多数がある。

知的生きかた文庫

心《こころ》がスーッと晴《は》れる一日禅語《いちにちぜんご》

著　者　境野勝悟《さかいのかつのり》
発行者　押鐘太陽
発行所　株式会社三笠書房
〒一〇二-〇〇七二　東京都千代田区飯田橋三-三-一
電話〇三-五二二六-五七三四〈営業部〉
　　〇三-五二二六-五七三一〈編集部〉
http://www.mikasashobo.co.jp
印刷　誠宏印刷
製本　若林製本工場

ISBN978-4-8379-7959-3 C0130

C40062